Ernst Fuchs
Walter Künneth

Die Auferstehung Jesu Christi von den Toten

Dokumentation eines Streitgesprächs

Nach einer Tonbandaufzeichnung
herausgegeben
von Christian Möller

Neukirchener Verlag

© 1973 Neukirchener Verlag des Erziehungsvereins GmbH Neukirchen-Vluyn
Alle Rechte, auch die des auszugsweisen Nachdrucks, der fotografischen und akusto-
mechanischen Wiedergabe und der Übersetzung vorbehalten
Umschlag: Kurt Wolff, Kaiserswerth
Gesamtherstellung: Breklumer Druckerei Manfred Siegel
Printed in Germany — ISBN 3 7887 0381 4

Vorwort des Herausgebers

Selten hat der Streit um das rechte Verständnis der Auferstehung Jesu Christi von den Toten in einer so treffenden theologischen Konfrontation und in einer so mitreißenden Spannung stattgefunden wie bei der Disputation zwischen dem Marburger Neutestamentler Ernst Fuchs und dem Erlanger Systematiker Walter Künneth in Sittensen bei Hamburg. Über 2000 Zuhörer, unter ihnen Lehrer, Pfarrer, Ärzte, Bischöfe und Studenten, verfolgten einen ganzen Tag lang in der Kirche von Sittensen das Streitgespräch der beiden Theologen und die anschließende Plenumsdiskussion. Noch die Tonbandaufzeichnung, die an jenem 12. Oktober 1964 mitgeschnitten wurde, vermittelt einen deutlichen Eindruck der Bewegung, in der die Zuhörer bei der Disputation mitgingen.

Es gehört wohl auch zu der Schärfe jenes Streitgespräches, daß sich die Beteiligten über die Form einer gemeinsamen Veröffentlichung im Anschluß an die Disputation nicht einigen konnten. So blieb es bei einem Nachwort von Walter Künneth, einem Aufsatz von Ernst Fuchs und einer literarischen Auseinandersetzung der beiden Assistenten Wolfram Kopfermann und Harald Weinacht [1].

Das konnte freilich nicht genügen, weil das lebendige und bewegte Gegenüber der Argumente fehlt, das gerade diese Disputation zu so etwas wie einem theologiegeschichtlichen Ereignis macht.

Um so mehr Dank gebührt nun Herrn Professor Ernst Fuchs und Herrn Professor Walter Künneth, daß sie auf eine neue Anfrage hin dem Plan einer Dokumentation über die Disputation von Sittensen zugestimmt haben. Die Dokumentation enthält den genauen Wortlaut der Disputation und der anschließenden Plenumsdiskussion, wie er auf dem Tonband aufgenommen wurde. Äußerungen, die ganz dem mündlichen Augenblick angehören, wurden geringfügig verändert oder getilgt; gliedernde Zwischenüberschriften wurden zur besseren Orientierung eingefügt. Daß beide Disputanten die Vorbereitung der Dokumentation mit hilfreichen Korrekturen begleitet, ihre Veröffentlichungen über die Disputation zur Verfügung gestellt und noch ein Nachwort (W. Künneth) bzw. einen Dialog (E. Fuchs) zu der Begegnung in Sittensen geschrieben

haben, sei auch mit Dankbarkeit erwähnt. Schließlich muß dem Neu-
kirchner Verlag dafür gedankt werden, daß mit seiner Hilfe ein histo-
risches Dokument der Öffentlichkeit zugänglich wird.

So genau und umfassend die Disputation von Sittensen auch dokumentiert sein mag, so wenig darf doch verschwiegen werden, wieviel Un-
mittelbarkeit, Bewegung und Farbigkeit gerade diesem Streitgespräch
durch die Übertragung aus der Mündlichkeit in die Schriftlichkeit verloren gegangen ist. Das gilt zuerst für die Argumentation von Ernst
Fuchs, die ganz auf Mündlichkeit, auf die konkrete Situation, auf das
Gegenüber und auf die Gegenwart der Teilnehmer bezogen ist. Das
gilt aber auch für das Engagement von Walter Künneth und das lebendige Mitgehen der Zuhörer während des ganzen Tages.

Immerhin hat die Tonbandniederschrift einige besonders auffällige Re-
aktionen der Zuhörer mit knappen Angaben wie etwa »Lachen in der
Gemeinde« oder »Zischen in der Gemeinde« wiederzugeben versucht.
Man stelle sich einmal vor, im Protokoll kirchlicher Veranstaltungen
könnte zuweilen vermerkt werden: »Lachen in der Gemeinde« oder
»Zischen in der Gemeinde«. Erscheint das deshalb oft so unmöglich, weil
Fragen des Glaubens in unserer Kirche eher mit behutsamer Vermittlung
eingeschläfert als streitbar ausgetragen werden?

Eine Bewegung der Teilnehmer ist in der Disputation von Sittensen
besonders an den Stellen zu bemerken, an denen die Frage nach der
Auferstehung Jesu Christi nicht nur im Horizont richtiger Formeln,
sondern im Blick auf lebendige Erfahrung und konkrete Wahrheit
vorangetrieben wird. Da entdeckt der Zuhörer, daß er mit seiner eigenen
Erfahrung in die Frage nach der Auferstehung Jesu Christi einbezogen
wird und von der Wahrheit der Auferstehung selbst betroffen ist. Das
Lachen, das sich während der Disputation in der Gemeinde zuweilen
ausbreitet, erinnert daran, daß zur Botschaft der Auferstehung die Freude hinzugehört und daß Theologie deshalb »mit letztem Ernst, aber auch
mit letztem Humor« (K. Barth) getrieben werden kann.

Vielleicht kann die Disputation von Sittensen heute noch mehr als vor
neun Jahren einen wichtigen Dienst leisten. Sie könnte dort helfen, wo
das Bekenntnis zur Auferstehung eine verbissene Behauptung geworden ist, zur Freude an der Auferstehung Jesu Christi zurückzufinden
und in solcher Freude auf den anderen gelöster einzugehen. Die Disputation könnte aber auch dort helfen, wo sich im Blick auf Leid und
Ungerechtigkeit in der Welt die Schwermut ausgebreitet hat, durch die
Frage nach der Auferstehung Jesu Christi die Freude an Gott wieder-
zuentdecken. Es ist die Freude, in der Leid und Ungerechtigkeit keineswegs ausgeklammert, wohl aber überboten werden, so daß ein öster-

liches Lachen wieder möglich ist. Die Disputation könnte endlich einer
Kirche helfen, die sich durch weitverzweigte Geschäftigkeit eingeengt
hat und ihrer selbst unsicher geworden ist, daß sie im Blick auf den
Auferstandenen ihre ursprüngliche Weite als österliche Kirche wieder-
gewinnt.

Wuppertal-Barmen, zum Osterfest 1973 Christian Möller

Inhalt

Der Tagesverlauf vom 12. 10. 1964

I. Gemeinde singt: »Christ ist erstanden« (EKG 75)
Morgenandacht und Begrüßung durch Pastor Hartig
Eröffnung durch Landessuperintendent Hoyer

II. Professor D. Dr. W. Künneth erläutert seine Thesen
Professor D. E. Fuchs erläutert seine Thesen
Gemeinde singt: »Auf, auf, mein Herz, mit Freuden«
(EKG 86, 1—2)

III. Disputation 1. Teil
Gesprächsführung durch Professor D. Dr. W. Künneth
Disputation 2. Teil
Gesprächsführung durch Professor D. E. Fuchs
Gemeinde singt: »Ich hang und bleib auch hangen« (EKG 86, 6)

Mittagspause

IV. Gemeinde singt: »Jesus lebt, mit ihm auch ich« (EKG 89, 1)
Diskussion im Plenum 1. Teil

Kaffeepause

Gemeinde singt: »Gelobt sei Gott im höchsten Thron«
(EKG 79, 1—2)
Diskussion im Plenum 2. Teil

V. Schlußwort von Professor D. E. Fuchs
Schlußwort von Professor D. Dr. W. Künneth

VI. Landesbischof D. Dr. Hanns Lilje
Landessuperintendent Hoyer
Gemeinde singt: »Christ ist erstanden« (EKG 75)

Zur Disputation vorgelegte Thesen

Professor D. Dr. Walter Künneth

1. *Die apostolische Botschaft bezeugt die »Auferstehung Jesu Christi von den Toten« (1. Kor. 15, 3—7) als die Erscheinung der neuen pneumatisch-leibhaften Wirklichkeit des gekreuzigten und begrabenen Jesus von Nazareth (1. Kor. 15, 8; 1. Kor. 9, 1; Gal. 1, 16; 1. Kor. 15, 42—53), in welcher eine neue Schöpfungswelt ihren Anfang genommen hat (2. Kor. 5, 17; Röm. 8, 1; Gal. 6, 15; 1. Petr. 1, 3).*

2. *Die Auferstehung Jesu Christi stellt das grundlegende Heilsereignis dar (1. Kor. 3, 11; 1. Petr. 2, 4.7—8; Röm. 9, 33), so daß sowohl die christliche Verkündigung zentral durch dieses vorausgegebene Geschehen bestimmt wird (1. Kor. 15, 2.14) als auch christlicher Glaube sich wesensmäßig als »Osterglaube« versteht (1. Kor. 15, 17; Röm. 10, 9).*

3. *Die Auferstehung Jesu Christi ist Ermöglichungsgrund und Realgrund der christlichen Gemeinde und damit der einzelnen christlichen Existenz als einer Gemeinschaft mit dem erhöhten lebendigen Herrn (Gal. 2, 22; Phil. 1, 21; 3, 20; Kol. 3, 1—3), die konsekutiv sich in »Glaube, Liebe, Hoffnung« (1. Kor. 13, 13) manifestiert.*

Literatur:

Walter Künneth, Theologie der Auferstehung. Siebenstern Taschenbuch 108/109, erweiterte Auflage 1968.

Walter Künneth, Glauben an Jesus? Die Begegnung der Christologie mit der modernen Existenz. Siebenstern Taschenbuch 139/140, 1969[3].

Walter Künneth, Entscheidung heute, Jesu Auferstehung — Brennpunkt der theologischen Diskussion. Fr. Wittig, Hamburg 1966.

Professor D. Ernst Fuchs

1. Die paulinischen Aussagen in 1. Kor. 15 sind die im Neuen Testament ältesten authentischen Aussagen über das Thema »Die Auferstehung Jesu Christi von den Toten« und von Paulus selbst durch 1. Kor. 13 ausgelegt: Wer von Auferstehung spricht, der muß sich an die Einheit von Leben und Tod in der Liebe halten.

2. Die Einheit von Leben und Tod in der Liebe ist der Welt in der Liebe Jesu erschienen und wird vom Glauben an Jesus als Gottes Herrschaft erfahren und erwartet (Röm. 4, 25).

3. Gottes Herrschaft bedient sich des Todes, der Leiden und der Schwachheit als ihrer Mittel und des Glaubens als Arznei und Teilgabe an einem Dasein vor Gott, in Gott und aus Gott (Röm. 8).

Literatur:
Ulrich Wilckens, Der Ursprung der Überlieferung der Erscheinungen des Auferstandenen. Zur traditionsgeschichtlichen Analyse von 1. Kor. 15, 1–11. In: Dogma und Denkstrukturen, Göttingen 1963, S. 56–95.
Ferdinand Ulrich, Leben in der Einheit von Leben und Tod, Frankfurt 1973.

I

Einleitung der Tagung

1. Morgenandacht

Gemeinde singt:
Christ ist erstanden von der Marter alle,
Des solln wir alle froh sein,
Christ will unser Trost sein.
Kyrieleis.
Wär er nicht erstanden,
So wär die Welt vergangen;
Seit daß er erstanden ist,
So loben wir den Vater Jesu Christ.
Kyrieleis.
Halleluja, Halleluja, Halleluja!
Des solln wir alle froh sein,
Christ will unser Trost sein.
Kyrieleis.   (EKG 75)

Ortspfarrer:
Im Namen Gottes, des Vaters
Und des Sohnes
Und des Heiligen Geistes.
Amen!

Wir wollen uns unter Losung und Lehrtext dieses Tages stellen.

»Warum schreist du denn jetzt so laut? Ist der König nicht bei dir?«
(Micha 4)

»Fürsten sind Menschen, vom Weibe geboren
Und kehren um zu ihrem Staub.
Ihre Anschläge sind auch verloren,
Wenn nun das Grab nimmt seinen Raub.
Weil denn kein Mensch uns helfen kann,
Rufe man Gott um Hilfe an. Halleluja!«

Markus 6: »Jesus trat zu ihnen ins Schiff, und der Wind legte sich.«

»Ob rings auch Wetter dräuen,
Soll unser Herz sich freuen.
Vor ihm sich neigen,
Dem Stürme schweigen.
Ob Deich und Dämme brechen,
Das Dennoch laß uns sprechen;
In seinem Namen, Herr, walte! Amen!«

Wir wollen still sein zum Gebet:
Allmächtiger Gott, wir danken dir für dieses dein Wort. Und wir rufen dich an aus der Tiefe unserer großen Not, in die wir geraten sind, und bitten dich, Herr, erfülle uns mit deinem himmlischen Frieden von neuem! Erweise dich mächtig unter uns! Laß die Wahrheit deiner göttlichen Offenbarung Herz und Gewissen ganz einnehmen! Sei du der Herr dieses Tages! Amen!

2. Begrüßung durch den Ortspfarrer

Hochwürden! Hochwürdige Bischöfe! Herr Regierungspräsident! Hochwürdige Herren! Verehrte festliche Versammlung!
Als Pastor dieser Gemeinde bin ich den meisten von Ihnen ein ganz kurzes Wort darüber schuldig, warum wir hier sind, wie dieser Tag entstanden ist. Die Religionspädagogische Tagung, die hier seit vielen Jahren stattfindet, hat im vorigen Jahre mit Vehemenz gefordert, daß die lutherisch bewußte Gemeinde Sittensen mit ihren Mitarbeitern im Pfarramt sich endlich bereit erklärt, einer heutigen modernen Theologie ins Angesicht zu treten. Nun, wir haben dazu uns bereit erklärt, d. h. der Hauptreferent der vorigen Tagung, Herr Professor Künneth, hat sich bereit erklärt, das zu tun. Wir danken Herrn Professor Fuchs, daß er auch bereit gewesen ist, das auch zu tun. Und so sei der Herr der Richter zwischen uns und tue, was wir von ihm erflehen. Wir erbitten für diesen Tag Wahrheit, Klarheit. Wir möchten alle Beteiligten bitten, von jedem Versuch einer Beschwichtigung abzusehen. Wir haben die Bitte zu Gott, daß die entstandenen Fronten so scharf und klar hervortreten möchten wie nur irgend möglich. Die Kirchengeschichte hat erwiesen, daß nur dann, wenn die Kirche zur absoluten Selbstprüfung bereit ist, eine Aussicht zu echter Buße, Umkehr und Erneuerung besteht. So gehen wir in diesen Tag hinein. Wir danken allen, die seit Wochen mit Ernst

gebetet haben, und wir danken Ihnen allen, daß Sie gekommen sind, besonders allen, die eine große, weite und gefährliche Reise hierher auf sich genommen haben. Und wir wollen nun alles in des Herrn Hand legen und von ihm alles erwarten.

3. Eröffnung durch den Tagungsleiter

Hochwürdige Herren Bischöfe! Sehr verehrter Herr Regierungspräsident! Sehr verehrte Damen und Herren! Liebe Brüder und Schwestern! So viel, wie wir heute sind, waren wir noch nie. Deshalb mag es angemessen sein, daß wir einen ganz kurzen Blick in die Geschichte dieser Tagungen tun. Angefangen hat's auf dem russischen Kriegsschauplatz, als zwei Offiziere sich begegneten, zwei Christen, Herr Schulrat Fischer und Herr Pastor Hartig. In der Zeit nach dem Zweiten Weltkrieg lagen ihre Amtsbereiche nah beieinander, so daß bei ihnen der Beschluß gefaßt wurde, etwas zu tun, um Pastoren und Lehrern eine gute Mitarbeit zu geben und ihnen zu helfen, auf rechte Weise das Evangelium in Kirche und Schule zu verkündigen. So sind die Sittenser Tage entstanden und daraus auch dieser Tag. Mit Respekt und Dankbarkeit begrüßen wir die Herren Professoren, die sich zu diesem Gespräch bereit erklärt haben. Gott möge geben, daß seine Gegenwart von uns empfunden wird und wir von ihm regiert werden. Damit wir aber wissen, wieviele wir miteinander hier sind, darf ich aus der großen Zahl derer, die sich aufgemacht haben, wenigstens einige begrüßen: Unser Landesbischof, Herr Dr. Lilje, Herr Bischof Dr. Wölber, Herr Altbischof Dr. Witte aus Hamburg, ein Vertreter des Herrn Bischofs von Bayern, die Vertreter des Hannoverschen Landeskirchenamtes, der Schleswig-Holsteinischen Landeskirche, der Inspektor für den Religionsunterricht in Österreich, der Dassler und Altener Bruderkreis, der Pfarrergebetsbund, die Missionsanstalt Herrmannsburg, das Pastoralkolleg aus Loccum, das Pfarrvikarsseminar, die Evangelisch-lutherische Freikirche Deutschlands, die Selbständige evangelisch-lutherische Kirche Deutschlands, die Altlutherische Freikirche Deutschlands und die Theologische Hochschule in Oberursel. Ich darf in der Schlichtheit, die dieser Raum gebietet, einem jeden sehr herzlich ein Grußwort sagen und den Dank aussprechen, daß er gekommen ist.
Der Tag geht so vor sich, daß wir jetzt zuerst von Herrn Professor Dr. Künneth eine Erläuterung seiner drei Thesen hören. Ihm folgt die Erläuterung von Herrn Professor Dr. Fuchs. Darf ich Herrn Professor Dr. Künneth sofort bitten.

II

Erläuterungen zu den vorgelegten Thesen

1. Referat von Prof. D. Dr. W. Künneth

Einleitung:
In der modernen Theologie verschwimmen die Konturen der Auferstehungsbotschaft

Hochwürdiger Herr leitender Bischof, hochwürdige Herren Bischöfe, meine Damen und Herren, liebe Brüder und Schwestern! Als wir vor Jahresfrist hier in Sittensen über die Grundlagenkrisis in der heutigen Theologie und über die Botschaft von der Auferstehung Jesu Christi nachdachten, war es uns allen klar, daß bei dieser Frage: »Wie steht es eigentlich mit der Auferstehung Jesu?« schlechthin alles auf dem Spiel steht. Das Thema »Die Auferstehung Jesu Christi von den Toten« besitzt eine unüberbietbare Tragweite, eine unvergleichliche Bedeutung, einen beispiellosen Entscheidungsernst. Die theologische Diskussion darüber aber ist um so dringender, da heute, wie bekannt ist, ja weithin im Raume der Theologie eine Redeweise geübt wird, welche die klaren Konturen der Auferstehungsbotschaft des Neuen Testamentes wie in einem Nebel verschwimmen läßt. Das Wort, die Vokabel »Auferstehung Jesu« oder »Ostern« findet zwar eine ausgiebige Verwendung, aber das ist ja die uns bewegende Frage: Was versteht man nicht alles darunter? Der Name, der Begriff allein, tut es ja nicht, sondern es geht um den Inhalt, den Sachgehalt der Aussage »Auferstehung Jesu«.
Auf diesem Hintergrund, meine Damen und Herren, bitte ich meine drei Thesen zu verstehen. Ich darf noch einmal die These verlesen, wobei ich die in Klammern erwähnten Bibelstellen jetzt nicht zu erwähnen brauche:

These 1:
Die apostolische Botschaft bezeugt die »Auferstehung Jesu Christi von den Toten« als die Erscheinung der neuen pneumatisch-leib-

haften Wirklichkeit des gekreuzigten und begrabenen Jesus von Nazareth, in welcher eine neue Schöpfungswelt ihren Anfang genommen hat.

Zu These 1:

Die pneumatisch-leibhafte Wirklichkeit des Auferstandenen

a) Die Realität des Auferstandenen in den bezeugten Erscheinungen

Es geht also um nichts weiter als um etwas ganz Schlichtes, aber eminent Bedeutungsvolles: Es geht um das apostolische Zeugnis. Wir müssen echt hinhören, was dieses Zeugnis sagt. Und nun meine ich, dieses Zeugnis behauptet die Auferstehung Jesu Christi von den Toten als eine neue Wirklichkeit.

Was aber heißt denn das: Neue Wirklichkeit? Damit wird eine zweifache Abgrenzung vollzogen. Einmal heißt das: Die Auferstehung Jesu hat mit Legende oder mit mythologischen Vorstellungen nichts zu tun. Wirklichkeit will zugleich sagen: Auferstehung Jesu ist nicht bloß eine Idee, ein Symbol, ein Phantasieprodukt oder so etwas wie eine Halluzination oder die Vision in einer enthusiastischen Ekstase, aber auch nicht bloßes Interpretament. Das ist die eine Seite. Das meint Wirklichkeit nicht. Wirklichkeit meint aber auch nicht bloß eine Wiederherstellung der irdischen historischen Leiblichkeit des Jesus von Nazareth. Denn das sagt ja Paulus hier in 1. Kor. 15 deutlich: »Fleisch und Blut können das Reich Gottes nicht ererben.« Was soll der Begriff Wirklichkeit?

Der Schwerpunkt liegt also auf der Bezeugung eines realen Geschehens, einer Realität eines Ereignisses. Verstehen Sie mich ja nicht falsch: Es geht mir heute gar nicht darum, irgendwelche so oder so formulierten dogmatischen Lehrsätze zu rezitieren, sondern es geht darum, zu verstehen, was ursprünglich von den Aposteln, den ersten Zeugen gesagt worden ist. Also: Bezeugung einer Realität. An der Wirklichkeit hängt alles! Das zeigt sich zunächst einmal in der Dokumentation dieser Wirklichkeit durch bestimmte Zeugen. Und diese Zeugenaussage ist zentral wichtig. Die Aufzählung der einzelnen Zeugen, man könnte sagen, diese juristische Argumentation ist für Paulus keine Nebensächlichkeit, kein fatales Abweichen von seinem Glaubensbegriff, sondern, ich meine, das Kernstück, der Angelpunkt seiner Verkündigung, seiner Theologie steht hier zur Diskussion. Die persönliche Begegnung mit dem Auferstandenen bewirkt seine

Lebenswende, seine Schicksalswende. Und das gilt ja nicht nur für
Paulus. Darum spreche ich hier von der apostolischen Botschaft. Das
gilt für alle Osterzeugen. D. h. im Speziellen: In den Erscheinungen
vollzieht sich die aktive Wirklichkeit des lebendigen Herrn. Der persönliche Herr ist hier am Werke durch Wort und Befehl. Ich könnte
sagen: Er ist das Subjekt des Geschehens. Und die Erscheinungen be-
vollmächtigen nun zu der Sendung, zum Apostolat. Sie begründen
die Mittelpunktstellung der Augenzeugen. Die Erscheinungen, die Erscheinung dieser neuen Wirklichkeit begründet die apostolische Autorität. Worin gründet eigentlich die ganze Autorität unserer kirchlichen
Verkündigung? Ich würde sagen: Die Autorität ist eine apostolische
Autorität. Und diese apostolische Autorität gründet wieder in diesem
Ereignis, in dieser Wirklichkeit der Auferstehung.

b) Die Realität des leeren Grabes

Aber: Die Erscheinung dieser Wirklichkeit wird noch durch eine
zweite Aussage im Neuen Testament uns nahe gebracht, nämlich
durch den Hinweis auf das leere Grab. Nun wäre es natürlich, meine
Damen und Herren, leichter, man würde mit einer Handbewegung
darüber hinweggehen. Das tue ich aber nicht. Sondern ich bin der
Meinung, daß gerade auch die Aussage über das leere Grab ein Hinweis auf die Realität des Geschehens ist und einen Hinweis auf die
dahinter stehende Wirklichkeit darstellt. Wiederum muß ein Mißverständnis vermieden werden: Ich sage nicht — und das Neue Testament sagt das auch nicht —, daß das leere Grab ein Beweis sei für die
Auferstehung. Aber es ist ein gewichtiges Zeichen für die Faktizität
des Geschehens, ein Zeichen für die Wirklichkeit. Fest steht auf jeden
Fall: Wo immer der Hinweis auf das leere Grab als peinlich beiseite
geschoben wird, da beginnt eine Auflösung der Auferstehungsbotschaft. Da kommt etwas ins Schwanken. Bei der Verschiedenheit der
exegetischen Darlegungen und Auslegungen ... ist der Konsensus
der vier Evangelien entscheidend. Markus 16, 1—8 vor allem, aber
auch die anderen Evangelien, so verschiedenartig sie sind, stimmen auch hier in der Sache selber überein. Und ein zweites ist wichtig:
Es gab kein Osterkerygma ohne die Rede vom leeren Grab. Man
kann ja mit höchster Wahrscheinlichkeit annehmen, daß auch Paulus
von dem leeren Grab gewußt hat. 1. Kor. 15, 4 — die urchristliche
Bekenntnisaussage »er wurde begraben« (vgl. Röm. 6, 4; Kol. 2, 12) —
dürfte ja wohl auch hier ein Hinweis sein. Unbestreitbar aber sind die

grundsätzlichen Erwägungen im Zusammenhang des damaligen zeit-
geschichtlichen Denkens. Wir müssen uns das doch etwa so klarmachen: Die jüdische, apokalyptische Überzeugung von der Auferstehung der Toten hat immer etwas mit der Leiblichkeit zu tun.
Vor allem darf nicht übersehen werden, daß eine Auferstehungsverkündigung in Jerusalem ohne leeres Grab undenkbar und unvollzieh-
bar wäre. Damit würde ja die Unglaubwürdigkeit der Auferstehungsbotschaft von vornherein bewiesen sein. Kennzeichnend ist es auch,
daß die antichristliche Polemik an keiner Stelle die Tatsache des
leeren Grabes bestritten hat, wohl aber diese Tatsache naturgemäß
verschieden deutet. Wir kennen ja die bekannte Diebstahlshypothese.
Vor allem aber ist von theologischer Relevanz: Das Zeugnis vom
leeren Grab stellt eine harte Antithese dar zu all den subjektivistischen Theorien, Meinungen, Ideologien, Deutungen, Wertungen. Hier
wird gerade eines klar: Die Einheit zwischen dem auferstandenen und
historischen Jesus. Daß in der Aussage vom leeren Grab auch ein
eschatologischer Verheißungscharakter liegt, das möchte ich jetzt nur
am Rande bemerken. Ich habe darum mit Bewußtsein in These 1 von
der neuen pneumatisch-leibhaften Wirklichkeit gesprochen. D. h. die
Auferstehungswirklichkeit besagt einen Akt der Neuschöpfung Gottes,
Gottes Tat. Die großen Taten Gottes kulminieren hier. Die Auferweckung Jesu von den Toten ist ein Urwunder. Und ich möchte zur
Verdeutlichung sagen: Ein Urwunder hat eigentlich nur eine Parallele,
nämlich die der ersten Schöpfung. Nur so kann man dieses umstür-
zende, unerhörte Geschehen überhaupt zum Ausdruck bringen.

c) Auferstehung als Urwunder

Ein zweifaches ist damit gesagt: 1. Alles kommt auf die Identität des
Auferstandenen mit dem *crucifixus*, mit dem begrabenen, mit dem
historischen Jesus von Nazareth an. »Erscheinung« heißt es ja überall, *ophtä*, er wurde gesehen, er ließ sich sehen. Das ist die Oster-
epiphanie. Der Auferstandene ist immer derselbe. Die Zeugen erkennen Jesus von Nazareth wieder, freilich in neuer, in anderer, in
pneumatisch-leibhafter Gestalt. Wieder merken wir: Zwei Irrtümer
gilt es abzuwehren. Hier geht es weder um eine Spiritualisierung noch
um eine Materialisierung. Paulus gibt die Antwort, wenn er sagt
soma pneumatikon, der geistliche Leib, d. h. die verklärte Leiblichkeit, in welcher die *doxa*, die Herrlichkeit Gottes, ungebrochen trans-
parent wird. Ebenso bleibt aber die Kontinuität, der Zusammenhang

mit dem *vere homo*, wahrhaftiger Mensch, gewahrt. Wir können also sagen: Das Auferstehungszeugnis enthält eine paradoxe Aussage: Der Auferstandene ist Herr wie Gott und Bruder, unser Menschenbruder, zugleich.

2. In dem lebendigen Christus wird ein neues Sein, eine neue Existenz, sichtbar, so daß in ihm eine neue Wirklichkeit pneumatisch-leibhafter Qualität sich repräsentiert. Was bedeutet das aber? Damit wird der Anfang einer eschatologischen Weltbewegung zur Vollendung der Schöpfungswelt eingeleitet. Wir kennen ja die vielen Worte: *en Christo einai*, in Christus sein, *kainä ktisis*, neue Schöpfung. Die Auferstehung Jesu Christi stellt daher nicht ein isoliertes Einzelereignis dar, sondern muß in einem universalen, heilsgeschichtlichen — ja — in einem kosmischen Zusammenhang des Handelns Gottes als Erlöser und Schöpfer in einem gesehen werden.

Eine methodische Nebenbemerkung: Methodisch ergibt sich hieraus die Notwendigkeit, daß man auf die Verwendung ontologischer Kategorien nicht verzichten kann, wenn man die Wirklichkeit der Auferstehung Jesu Chisti angemessen bezeichnen will. In der Auferstehung Jesu wird ein neues Wirklichkeitsverständnis gesetzt, d. h. nämlich: Was der Mensch ist, was das Sein ist, was die Welt ist, was Tod und Leben meint, das weiß ich gerade erst von hier aus. Freilich, von diesem neuen Wirklichkeitsverständnis wird zugleich auch, das kann nicht anders sein, das rein säkulare, rein immanente, rein diesseitige Denken in Frage gestellt. Und es ist klar, daß für dieses Denken stets das Wort von der Auferstehung ein Ärgernis sein muß. Das ist aber keine moderne Erfindung, meine Damen und Herren, sondern das ist zu allen Zeiten so gewesen, vom ersten Augenblick an: Die Auferstehung Jesu ist das Ärgernis für das Denken der modernen Welt. Ich komme zur zweiten These:

These 2:
Die Auferstehung Jesu Christi stellt das grundlegende Heilsereignis dar, so daß sowohl die christliche Verkündigung zentral durch dieses vorausgegebene Geschehen bestimmt wird als auch christlicher Glaube sich wesensmäßig als »Osterglaube« versteht.

Zu These 2:
Auferstehung als grundlegendes Heilsereignis

a) Der axiomatische Charakter der Auferstehung

Die Auferstehung Jesu Christi trägt — ich darf es wohl einmal so formulieren — axiomatischen Charakter. Ein Axiom ist eine Wirklichkeit, eine Voraussetzung, eine Gegebenheit, über die man nicht mehr diskutieren kann, die einfach da ist, für die ich mich entscheiden muß, die ich auch nicht beweisen kann. Ein Axiom steht jenseits der Beweismöglichkeit. Ich kann also hinter ein Axiom nicht mehr zurückfragen. Wohl steht dieses Axiom in einer heilsgeschichtlichen Kontinuität. Es gibt ja eine vorbereitende Geschichte des Handelns Gottes. Denken Sie nur an Hebräer 1, 1, daß Gott vor Zeiten geredet hat durch die Propheten usw. Aber sowohl in einem heilsgeschichtlichen Zusammenhang stehend, repräsentiert die Auferstehung ein Fundamentalereignis, so daß von ihm aus auf alle vorösterlichen Erkenntnisse und Erfahrungen das entscheidende Licht fällt. Die Auferstehung Jesu, diese Botschaft, besitzt die Bedeutung eines Schlüsselpunktes für die Sinndeutung des ganzen Neuen Testamentes.

b) Gott als der Handelnde

Zwei Hinweise zur Verdeutlichung: 1. Das wird klar in bezug auf den Gottesbegriff: Gott ist der Handelnde. Er erweckt von den Toten. Er ist der Aktive, der aus dem Tode das Leben schafft. Nach dem Neuen Testament erscheint der Tod als ein ungeheurer Feind. Und dieser Feind wird hier besiegt. Man könnte sogar sagen: Die Auferstehung trägt den Charakter einer Kampfhandlung. Daher vollzieht sich in der Auferstehung die Kulmination all dessen, was wir Offenbarung Gottes nennen. Freilich, sie ist vorher schon da in der Gestalt des vorösterlichen Jesus von Nazareth. Aber alles drängt ihn zur Kulmination. Die Auferstehung ist die Dokumentation der rettenden Liebe Gottes. Von der Liebe Gottes im strengen, umfassenden Sinne wissen wir nur in dem Aspekt der Auferstehungsbotschaft.

c) Glaube als Osterglaube

Sodann ist diese Schlüsselpunktbedeutung wichtig in bezug auf die
Person Jesu, auf sein Wirken und das Sterben Jesu am Kreuz. Die
meisten unter uns wissen ja, daß über die Hoheitstitel Jesu eine nicht
endenwollende theologische Diskussion geführt wird. Wie hat er sich
genannt: »Jesus — Menschensohn«? Wußte er das? Hat er sich selbst
so genannt?, »Messias«, »Kyrios«, »Hoherpriester« usw. Es ist klar:
Ohne Auferstehung kann man überhaupt nicht begreifen, daß es so
etwas wie ein Selbstbewußtsein Jesu gegeben hat. Man kann gar
nicht begreifen, daß je solche Titel irgendwie auch in sein Gesichts-
feld gekommen sind. Stellen wir aber das ganze in das Licht der
Auferstehungsperspektive, dann kann's ja gar nicht anders sein, als
daß alle diese Bezeichnungen, diese Würdenamen, diesem Jesus von
Nazareth zukommen. Jetzt, im Lichte der Auferstehung, wird auch
verständlich, wenn das Neue Testament antwortet: Was ist das Kreuz?
Was ist da geschehen? Sühneopfer, Stellvertretung pro nobis, für
uns? Oder Röm. 4, 25: Woher kommt die Rechtfertigung, auf die wir
mit Recht in der lutherischen Kirche uns gründen? Diese Rechtfertigung ist keine Idee, kein Gedanke, kein Prinzip, sondern die Rechtfertigung gründet in der Auferstehung. Gibt es keine Auferstehung,
dann gibt's auch keine Rechtfertigung. Das wird Röm. 4, 25 deutlich.
Infolgedessen muß jetzt mit allem Nachdruck — ich habe das ja auch
sehr scharf formuliert — mit allem Nachdruck gesagt werden: Die
entscheidende Aussage, die sich daraus ergibt, lautet: Christlicher
Glaube ist spezifisch Osterglaube, d. h. Glaube an den auferstandenen, den lebendigen Herrn. Ohne Auferstehung Jesu ist der Glaube
leer, nichtig, wertlos, umsonst. Vielleicht gibt es einen philosophischen
Glauben à la Karl Jaspers. Dann wäre der Glaube eine Selbsttäu-
schung ohne rettende Kraft. Glaube kann man daher auch nicht ge-
nerell umschreiben, etwa mit einem ethischen Verhalten oder mit der
Forderung zu glauben, »wie Jesus geglaubt« hat. Man kann auch
nicht formulieren, man müsse Jesus »als Zeugen des Glaubens
Grund des Glaubens sein lassen« (G. Ebeling)[2]. Man kann auch
nicht sagen, das sei soviel wie: In der Liebe sich üben, sich einüben,
die Liebe vollziehen. Man kann auch Glaube nicht gleichsetzen mit
Gewinnung eines neuen Selbstverständnisses. Voraussetzung des
Glaubens ist vielmehr das Vorgegebensein der Wirklichkeit der Auferstehung Jesu. Nicht *meine* Glaubensentscheidung macht die Auferstehung, nicht *meine* Glaubensentscheidung ist der Angelpunkt,
auch nicht meine Glaubensentscheidung enthält die Gewißheit. Son-

dern umgekehrt ist das Fundament des Glaubens extra nos, außerhalb von uns, von Gott festgesetzt. Ob ich glaube oder nicht glaube, die Wirklichkeit ist da, steht das Fundament unerschütterlich fest, so daß ich erst auf diesem Grund meine Entscheidung, meinen Glauben, vollziehen kann. Oder sagen wir es ganz schlicht: Ich erlöse mich ja nicht durch meine Gläubigkeit, sondern der Glaube greift nach dem lebendigen Herrn, weiß sich gehalten von dem Erlöser. Ich glaube nicht an meinen Glauben. Das wäre eine jämmerliche Angelegenheit. Ich glaube nicht an meinen Glauben, sondern ich glaube an den Auferstandenen. Aber mit diesen letzten Bemerkungen, meine Damen und Herren, stehen wir schon bei der dritten These:

These 3:
Die Auferstehung Jesu Christi ist Ermöglichungsgrund und Realgrund der christlichen Gemeinde und damit der einzelnen christlichen Existenz als einer Gemeinschaft mit dem erhöhten, lebendigen Herrn, die konsekutiv sich in »Glaube, Liebe, Hoffnung« manifestiert.

Zu These 3:
Auferstehung als Realgrund der Gemeinde

a) Glaube als persönliche Beziehung zum erhöhten Herrn

Die Wirklichkeit des »crucifixus resurrectus«, des gekreuzigten, lebendigen Auferstandenen, ist nicht nur im Raum der Geschichte eine dort aufgebrochene Erscheinung, welche der Vergangenheit angehört, sondern zugleich eine präsentische Wirklichkeit. Damit wird der Glaube der Gemeinde, der Glaube der Kirche und des einzelnen als Glaube an Jesus Christus qualifiziert. Das heißt mit anderen Worten: Der Glaube der Kirche meint immer eine Personalbeziehung. Der Glaube glaubt an den Auferstandenen als eine personelle Individualität. Dieser Glaube ist daher nicht autonom ein formales Offensein für Gott, sondern immer ein Kontaktgeschehen. Glaube ist daher keine Weise menschlichen Verhaltens, sondern eine Relation, eine Bezugnahme, ein Ausgestrecktsein auf Christus. Konkret bedeutet das: Die personelle Verbindungsaufnahme mit dem lebendigen Herrn, der in einer ewigen Präsenz, ewigen Gegenwart, sein Erlösungswerk fortsetzt.

b) Christi Eintreten für die Gemeinde

An dieser Stelle, meine ich, kommt auch der alte dogmatische, auch
neutestamentliche Begriff der Intercessio, des stellvertretenden Ein-
tretens des lebendigen Christus für seine Gemeinde zum Tragen.
Wenn die Auferstehung eine Wirklichkeit ist, dann können wir diese
Erkenntnis der Intercessio, des Eintretens Jesu für die Gemeinde,
nicht liquidieren mit der Bemerkung: »Mythologische Vorstellung.«
Wir können auch nicht umdeuten, indem wir etwa sagen: Das Beten
Jesu oder das Beten wie Jesus trüge den Charakter einer Fürsprache
Jesu[3]. Damit werden wir dem Sachverhalt nicht gerecht, sondern: Es
gilt hier ganz schlicht Ernst zu machen mit der realen Wirklichkeit
des Erhöhten. Hier liegt der Grund der Gewißheit, der Glaubensfreu-
digkeit, des Friedens, Christus pro me, für mich. Die Christusliebe ist
da. Sie vertritt uns, nicht als eine Idee, sondern wirklich. »Christus,
der gestorben ist, ja vielmehr, der auch auferweckt ist, welcher ist zur
Rechten Gottes und vertritt uns.« (Rö. 8, 34) »Und ob jemand sündigt,
so haben wir einen Fürsprecher beim Vater.« (1. Joh. 2, 1) »Und er
lebt immerdar und bittet für sie.« (Hebr. 7, 25) Das sind Kardinal-
sätze, an denen wir nicht vorbeikommen.
Die Folge dieses Osterglaubens aber ist folgerichtig, konsekutiv, Liebe,
Bruderliebe, Nächstenliebe, in der Tat, auch die Bereitschaft zur ge-
horsamen Hingabe, zum Leiden, zum Opfer. Die pneumatische Ausstrahlungskraft des Auferstandenen erweist sich in der Agape, in
dieser einzigartigen Liebe als einer nicht psychischen, nicht menschlichen, nicht somatischen, leibhaften, sondern als einer pneumatischen
Möglichkeit. Agape ist daher eine Funktion des Osterglaubens, aber
nicht sein Grund.

c) Ohne Auferstehung keine Eschatologie und keine Parusie

Noch ein Letztes: Der Grund christlicher Hoffnung ruht allein in der
Auferstehungswirklichkeit Jesu Christi. Der Auferstandene ist ja der
Erstling. Nun beginnt eine ganze Kette, eine ganze Weltbewegung.
Immer geht es in der christlichen Eschatologie um die Analogie zur
Auferstehung Jesu, also um die Communio mit Jesus Christus. Gibt
es keine Communio, dann gibt es auch keine Eschatologie. Communio
mit Christus aber sagt: Teilhaben an dem neuen Sein, an dem neuen
Ewigkeitsleben des Kyrios, an der neuen Wirklichkeit, an seiner neuen
Existenzweise.

Und von hier aus die letzte Konsequenz: Man kann offenbar über die Parusie, die Wiederkunft Jesu, gar keine Aussage machen, wenn man nicht vorher Ernst gemacht hat mit der Auferstehung Jesu. Man kann auch, wie ich meine, von Gottesherrschaft nicht ernsthaft reden, ohne zugleich von der Parusie zu reden. Denn die Parusie ist ja die uneingeschränkte Manifestation der Wirklichkeit, daß Christus der Herr ist. So hängen alle Dinge im Neuen Testament zusammen, und wenn wir das Fundament irgendwie unterminieren, dann bricht das ganze zusammen.

Meine sehr verehrten Anwesenden! Ich habe mich bemüht, in diesen drei Thesen wenigstens die Grundlinien, auf die alles ankommt, in scharfer Zuspitzung herauszustellen. Bei der Behandlung dieses Themas muß so klar wie möglich geredet werden. Klarheit zu gewinnen, das ist ja der Sinn unserer Disputation. Und damit wird freilich es nötig sein, auf beiden Seiten ehrlich und redlich die Karten aufzudecken, damit deutlich wird, wie es mit dem Wesen und dem Charakter der Theologie bestellt ist.

Klopfen in der Gemeinde.

Tagungsleiter: Ich würde doch bitten, daß wir davon absehen. Wir sind in einer Kirche.

2. Referat von Prof. D. E. Fuchs

Einleitung:
a) Äußere Sprachschwierigkeiten zwischen Norden und Süden

Hochwürdige Herren! Sehr verehrte Damen! Liebe Brüder!
Ich bin natürlich hier in einer sehr großen Verlegenheit, schon aus einem sprachlichen Grunde. Es gibt nämlich nicht bloß ein Ost-West-Problem in Deutschland, sondern auch ein Nord-Süd-Problem. Das hab' ich entdeckt, als ich in Berlin 5 1/2 Jahre an der Kirchlichen Hochschule lehrte. Nun, dieses Problem kann ich sicher nicht allein bewältigen. Da muß ich Sie um Ihre Hilfe bitten.

b) Innere Sprachschwierigkeiten zwischen den theologischen Disziplinen

Eine zweite Bitte habe ich an meinen lieben Kollegen Künneth selbst. Wir haben uns heute morgen schon ein bißchen unterhalten. Er ist mir zwar persönlich vorher nicht bekannt gewesen, nur sehr flüchtig mal von einem Besuch in Erlangen, aber ich kenne ihn durch Studenten und weiß, daß er Schüler, die etwa von mir kamen oder von anderen, in seinem Seminar allezeit hat zu Wort kommen lassen. Nun, er läßt mich ja hier auch zu Wort kommen bzw. Sie tun das auch, aber ich muß darum bitten, daß wir noch ein bißchen mehr tun und einander helfen, denn unsere inneren Sprachschwierigkeiten sind nicht einfach unsere persönliche Schuld, sondern die liegen in den theologischen Verhältnissen.

Ich muß z. B. von meiner Arbeit her sagen, daß ich vieles von dem, was Herr Professor Künneth vorhin vorgetragen hat, gar nicht auf den ersten Anhieb verstehen kann. Ich finde das gar nicht so einfach. Was für den Systematiker eine Linie ist, vielleicht sogar einfach ein Kreis rund um einen festen Punkt — und dieser zentrale, feste Punkt soll ja die Auferstehung Jesu Christi von den Toten sein —, das leuchtet mir natürlich auch ein. Aber, auf der anderen Seite ist es dann wieder so, daß eben hier, gerade an dieser Stelle, der Exeget *Hemmungen* hat. Diese Hemmungen beziehen sich auch auf die Terminologie. Da bin ich nicht der einzige! Z. B. kann ein Exeget heute — ich glaube, daß das bei den meisten so geht, wenn sie nicht gerade im Schlußparagraphen ihres Kollegs über Theologie des Neuen Testaments stehen — schlecht sagen: »Die apostolische Botschaft.« Und das liegt doch dem Systematiker so nahe. »Die apostolische Botschaft« ist, exegetisch gesehen, eine ganz unsichere Größe. Nun dürfen Sie natürlich nicht gleich denken: »Ach, du liebe Zeit! Wenn schon die apostolische Botschaft unsicher ist, was wird's dann mit dem sein, was sie sagt, also mit der Auferstehung Jesu Christi?«

Sehen Sie, das ist auch eine Sprachschwierigkeit jetzt an diesem Tag. Sie dürfen jetzt nicht so, ach, zuhören oder mitdenken, wie man's bei einem Kaufvertrag macht, wo es sich drum dreht, ob sich die Parteien einigen, und der eine gibt, und der andere nimmt. In dem Fall müßte ich nehmen . . .

Lachen in der Gemeinde.

Fuchs: . . . und der andere würde geben. Na ja, wenn's so klar wäre, wie Herr Künneth sicherlich mit Grund annimmt . . . Selbstverständlich! Ich meine das jetzt ganz von der anderen Seite her: Sie sollen jetzt auch mich verstehen, weil ich im Nachteil bin, insofern auch, als

die systematische Denkgewohnheit und Sprache ja die altvertraute ist.
Wie wurde da vorhin gesagt? »Wir wollen der modernen Theologie
ins Gesicht sehen.« Ja, man muß ja schon dankbar dafür sein, wenn's
dann nicht heißt: »... ins Gesicht *treten!*«
Lautes Lachen in der Gemeinde.
Fuchs: Das will nun Herr Künneth nicht. Natürlich, der Herr Landessuperintendent verzeiht mir diese Anspielung; er hat ja in keiner
Weise an eine solche Assoziation gedacht!
Lachen in der Gemeinde.
Fuchs: Daran denkt natürlich auch Herr Kollege Künneth in *gar
keiner* Weise! Ich kann ihm das nur bezeugen. Liebeserklärungen er-
lassen Sie mir jetzt halt! Aber die Kampfsituation in der Öffentlichkeit sieht gern so aus. Das ist wahr; das dürfen wir uns nicht ver-
schleiern. Vielleicht mit Grund? Vielleicht ist das kein Zufall, daß es
da so hart zugeht. Aber stellen Sie sich vor, Sie können jetzt nicht
einfach ein Catch-as-Catch-can erwarten. Gut!

These 1:
Die paulinischen Aussagen in 1. Kor. 15 sind die im Neuen Testament ältesten authentischen Aussagen über das Thema »Die Auferstehung Jesu Christi von den Toten« und von Paulus selbst durch
1. Kor. 13 ausgelegt: Wer von Auferstehung spricht, der muß sich an
die Einheit von Tod und Leben in der Liebe halten.

Zu These 1:
*a) Die exegetischen Probleme der paulinischen Aussagen über die
Auferstehung Jesu Christi*

Nun sage ich gleich in meiner ersten These *nicht:* »Die apostolische
Botschaft«, sondern ich sage ganz kühl: »1. Die paulinischen Aussagen ...«! Sehen Sie, das ist schon ein anderer Stil. So fängt halt
ein Exeget an: »Paulus macht Aussagen in 1. Kor. 15.« Und zwar
beziehe ich es jetzt zunächst auf das ganze Kapitel, vor allem natürlich auf den 1. Teil in V. 1—11, wenn ich sage: »Die paulinischen
Aussagen in 1. Kor. 15 sind die im Neuen Testament ältesten
authentischen Aussagen über das Thema: Die Auferstehung Jesu
Christi von den Toten.« So sagt man bei uns, ich meine: bei den
Exegeten.
Es gibt natürlich auch einige andere Aussagen, die in ihrer Art vielleicht, traditionsgeschichtlich gesehen, noch älter sind. Das kann man

nicht von vornherein bestreiten. *Aber zu diesem Thema jedenfalls
gibt es diese Aussagen als authentisch älteste Aussagen.* Tatsächlich,
da kann man von einer Art »Dokumentation« reden; würde ich auch
meinen. Sie sind sozusagen dokumentiert dadurch, daß Paulus davon
spricht.
Aber jetzt kommt die große Schwierigkeit! Ich habe absichtlich als
Literatur einen Aufsatz von Ulrich Wilckens angegeben, der auch mal
mein Schüler war, aber ganz als Anfänger, der aber heute ziemlich
woanders steht als gerade ich: Über den »Ursprung der Überlieferung
der Erscheinungen des Auferstandenen. Zur traditionsgeschichtlichen
Analyse von 1. Kor. 15, 1—11« in der Festschrift für den Systematiker
Schlink in Heidelberg, 1963 erschienen. Da sagt er Dinge, die auch
nicht gerade ganz neu sind, wie dieses, daß die Sätze, die Paulus in
1. Kor. 15 schreibt (V. 5 ff.), gar nicht so, wie sie da stehen, ein ge-
treues Spiegelbild der ursprünglichen Überlieferung darstellen.
Wilckens meint so: Zuerst heißt's »Er erschien dem Kephas, dann den
Zwölfen«. Das nimmt er als echte Überlieferung an: 1. Kor. 15, 5.
Dann heißt's: »Dann erschien er über 500 Brüdern auf einmal«, V. 6,
»von denen die meisten bis jetzt noch leben«, kann man übersetzen,
»einige aber entschlafen sind.« Diesen Satz klammert er (Wilckens) aus.
Er meint, der sei umgestellt; jedenfalls stamme er von Paulus, den hätte
Paulus hier eingefügt. Dafür gibt's Gründe sprachlicher Art. Dann geht's
weiter. Jetzt kommt »Jakobus« dran; dann »alle Apostel«. Also man
sieht: Zuerst Kephas, dann die Zwölf, dann — wenn man nach Wilckens
geht — Jakobus, dann alle Apostel. Die Zwölf sind nicht einfach die
Apostel. Und jetzt, nachdem das gesagt ist, schreibt Paulus: »Zuletzt
aber erschien er vor allem mir . . .« usw. Ja, nun ist die Frage die, ob
nicht ursprünglich die Sache so geheißen hat: »Zuerst dem Kephas, dann
den Zwölfen, dann dem Jakobus, dann allen *Brüdern*«, so daß Paulus
die 500 aus seiner Kenntnis heraus umgestellt hätte, und zwar vorver-
legt hätte, um die Apostel einzubringen. Das stimmt natürlich bloß
dann, wenn der Begriff des Apostels eigentlich nicht in Jerusalem entstanden ist. Sie sehen, wie schwierig das ist. Das sind offene Fragen, die
wir nicht zu Glaubensfragen machen können. Das sind *historische* Fragen, die einfach verhandelt werden.
Also mit anderen Worten: Man kann weder die Zwölf noch den
Apostelbegriff, noch die Aufzählung in 1. Kor. 15, 5 ff. einfach so
hinnehmen, wie es schließlich in der Tradition der synoptischen Evangelien usw. feststeht.
Was soll man da machen? Ich kann doch nicht einfach sagen: »Ja,
das geht mich nichts an, was Ihr da herausdröselt. Hättet Ihr es ge-

lassen, dann wüßte man es nicht!« — Ja, wenn man's aber weiß, was macht man dann? Nicht wahr, das ist die Situation moderner, aber auch schon uralter Exegese. So ist es in der Exegese immer zugegangen. Dem muß man standhalten. Heißt das jetzt, wenn solche Fragen entstehen, daß unsere *Einsicht* in den Text — so kann ich vielleicht meinem lieben Kollegen Künneth am besten antworten — heißt das, daß die Einsicht in den Text ihrerseits fragwürdig wird? Das meine ich nun allerdings nicht! Und da würde ich wieder meinen, mit *einigen* meiner Kollegen einig sein zu können, wenigstens. Die Einsicht heißt nämlich tatsächlich: Es kommt auf die Auferstehung Jesu Christi von den Toten an — gut: »zentral« an. Allerdings!

b) *In der konkreten Situation des Todes wird die Rede von der Auferstehung sinnvoll*

Und nun ist freilich die Frage die: Mache ich da ein Wortspiel? Gebrauche ich einfach bloß eine Vokabel traditioneller Art, wenn ich »Auferstehung« sage, und meine damit etwas ganz anderes? Ich will Ihnen die Situation schildern, auf die es nach meiner Meinung ankommt. Die Situation ist mir nämlich gestern begegnet, auf der Herfahrt von Hamburg. Da kamen wir — das ist bei mir das erstemal gewesen, daß ich das so kraß gesehen habe — da kamen wir an einer Stelle vorbei — hierher auf der Fahrt nach Sittensen —, da war ein ganz gräßlicher Autounfall passiert. Es war schon aufgeräumt. Die Trümmer waren schon weggeräumt. Polizisten standen herum. Vor uns fuhr ein Sanitätsauto weg, und neben uns lag, noch zugedeckt, ein junger Mensch. Den Kopf konnte ich noch sehen, den Hinterkopf, die Haare des jungen Menschen. Ach, es war grauenhaft! Und da, muß ich gestehen, finde ich, fängt die Situation überhaupt erst an, in der die Rede von Jesu Christi Auferstehung von den Toten sinnvoll wird. Früher, früher fängt sie eigentlich gar nicht an. Sie hat für einige andere Menschen anders angefangen. Das gebe ich zu. Dort, wo die Erscheinungen waren, fing's anders an. Das ist wahr! Aber: Da war ich nicht dabei. Dagegen gestern: Da war ich dabei, wenigstens in der Weise, wie ich es jetzt erzähle. Da geht's hart auf hart.

c) Nicht Tatsachen helfen, sondern die Erfahrung der Auferstehung Jesu Christi in der Konfrontation mit dem Tode selber

Meine Damen und Herren! Ich bin der Meinung, daß wir nicht an die »Einheit von Leben und Tod« glauben, heute, und daß man das früher auch kaum getan hat, sondern daß man sich eben darüber hinwegspricht. Und ich finde, daß uns das eben nicht eingeht, wenn wir nicht direkt mit dem Tod konfrontiert werden. Das ist es! Wir glauben einfach nicht, denkmäßig, heute an ein ewiges Leben oder an irgend etwas nach dem Tode. Das geht der modernen Vernunft oder dem modernen Menschen, wie er ist, schlechterdings nicht ein. Dagegen wehrt er sich. Und es gibt vielleicht einen Grund dafür, warum er sich wehrt: den Grund nämlich, daß vielleicht gerade das das Gericht Gottes ist! In der Auferstehung Jesu Christi von den Toten steckt in der Tat auch ein Gericht, nämlich: daß man es nicht damit schon hat, daß man's sagt. Da bin ich mit Professor Künneth einig. Aber daß man es auch damit noch nicht hat, daß man erklärt: »Das ist eine wohlbewiesene Tatsache!« Das hat er (Prof. Künneth) nicht gesagt, wenigstens habe ich das nicht herausgehört. Aber das sagen andere, und da bin ich auch dagegen. Das *hilft* ja nichts.

Was wirklich hilft, ist die *Erfahrung* von Jesu Christi Auferstehung von den Toten. Und diese Erfahrung nähert sich uns erst, sie lichtet sich erst — mal mehr, mal weniger, gewiß! — in der Konfrontation mit dem Tode selber. Je spezieller unsere Erfahrungen sind, je konkreter, desto gräßlicher sind sie doch! Das weiß doch jeder von den schrecklichen Jahren des Krieges usw.

Und nun finde ich, ist das Entscheidende im Neuen Testament, wenn man's jetzt zusammenzieht und wenn ich mich jetzt darauf einlassen soll, eben dies, daß hier von Auferstehung nur so geredet wird, daß von dem uns Anstößigsten ausgegangen wird, aber auch wieder — ach! — im Grunde Erwartetsten, nämlich von der »Einheit von Tod und Leben«! Also gerade das, was der natürlichen Vernunft nicht eingeht, ist hier in der Tat das Zentrale. Aber davon, glaube ich, sollte man wirklich nicht sehr freigiebig reden, nicht frei*gebig*, will ich lieber sagen.

Aber, wie gesagt, ich weiß nicht, was »Systematische . . .« Ich bin einfach in Verlegenheit. Ich bewundere das im stillen, wenn man das alles so nacheinander weg bringen kann, aber mir fehlt tatsächlich die konkrete Situation. Ich will's offen sagen, sonst hat's keinen Wert. Wir müssen miteinander reden, wir wollen's ja auch, wahrhaftig, Herr Künneth! — Aber wir müssen die Situation mit dabei haben, in der die Rede von der Auferstehung Jesu Christi von den Toten überhaupt erst sinnvoll ist, ihren Wahrheitswert hat und kommen will. Und das ist die Situation des Todes selbst, nicht die einer Versammlung!

These 2:
Die Einheit von Leben und Tod in der Liebe ist der Welt in der Liebe Jesu erschienen und wird vom Glauben an Jesus als Gottes Herrschaft erfahren und erwartet (Röm. 4, 25).

Zu These 2:
a) Die Einheit von Tod und Leben in der Liebe Jesu Christi

Nun habe ich in der zweiten These gesagt: »Die Einheit von Leben und Tod in der Liebe ist der Welt in der Liebe Jesu erschienen.« Allerdings! »In der Liebe Jesu erschienen« muß man sagen, weil man sich sonst fragen lassen muß — da hat Herr Künneth wieder recht —: »Wie kommst du denn überhaupt darauf, solche Worte wie ›Auferstehung Jesu Christi von den Toten‹ oder ›Einheit von Tod und Leben‹ in den Mund zu nehmen?« Und da meine ich nun, müsse ich nicht bloß sagen: »Ich behaupte die Identität des Auferstandenen mit dem Gekreuzigten.« Das ist natürlich eine bekannte Formulierung, und sie ist ja auch traditionell. Sondern ich meine, man soll von der Identität *Gebrauch* machen. Und so kam ich jedenfalls zurück zum historischen Jesus. Ich kann zwischen dem auferstandenen Herrn und Jesus von Nazareth keinen Unterschied sehen. Ich hab's übrigens auch vorhin nicht gehört, daß da einer wäre. Das ist Jesus selbst!
Wenn ich nun von ihm verstehe, was er *epiphan* gemacht hat, wie wir sagen, was also in ihm erschienen ist, nämlich tatsächlich so etwas wie Liebe, dann bringe ich das mit dem zusammen, worum sich's hier dreht, nämlich mit jener Einheit von Leben und Tod, die in Wirklichkeit eben die Identität des Auferstandenen und des Gekreuzigten ist. Ich sage »des Gekreuzigten«, weil das mit dem leeren Grab für mich gedanklich eine große Schwierigkeit hat. Ich komme gleich darauf zurück.
Zuerst einmal dies: In Jesu Liebe erscheint diese Einheit von Leben und Tod, d. h. man muß etwas von Liebe verstehen, wenn man etwas von der Einheit von Leben und Tod verstehen will. Wenn ich an den Verunglückten von gestern denke: Wer wird ihn

vermissen? *Da hängt's!!!* — Und wohlverstanden: *Hier* müssen wir
uns in acht nehmen, daß wir unseren Gott nicht zum Lückenbüßer
sozusagen unserer selbst machen, als ob Gott der Grabstein auf dem
Erdhügel des Nichts wäre. Das wäre in der Tat vermessen und
gotteslästerlich. Hier geht's um mehr! Hier geht's in der Tat um das,
was Gott *tut*. Und da meine ich: Gott einigt Leben und Tod in der
Situation des Todes — wo man's am meisten braucht — *aus Liebe*. So
kann ich auch sagen. Die Grundsituation ist tatsächlich die Situation
der Liebe.

Herr Professor Künneth hat auch in einem seiner Bücher[4] am Schluß
von der »unendlichen Liebe Gottes« gesprochen. Gut! Nur würde ich
das philosophische Wort »unendlich« — entschuldigen Sie, Herr
Künneth, aber das muß ich sagen — das Wort »unendlich« würde
ich nicht gebrauchen. Das würde ich Thomas lassen. Und ich habe
gerade in Berlin meinen Freund Ebeling getadelt, weil er plötzlich
auch vom »ens infinitum« spricht.

b) Glaube an Jesus als Zutrauen

Also hier, meine ich, wird nun vom Glauben an Jesus gesprochen,
der durch die Liebe Jesu geweckt wird. Glaube ist in dem Sinne schon
ein Kontaktphänomen, daß man sagen kann: *Jesus, die Person Jesu,
weckt Glauben*. So, wie ein Lehrer, ein guter Lehrer — das ist natürlich jetzt nicht rationalistisch gemeint — in seiner Schulklasse Zutrauen bei den Kindern erweckt. Das ist z. B. der Lehrer, der nicht
wartet, bis das Glockenzeichen kommt, daß er denkt: »Gott sei Dank,
da komme ich raus aus dem Stall!« Sondern wer *da* bleiben will, wer
wirklich *da ist* bei seinen Kindern, das ist ein guter Lehrer, und er
erweckt dadurch Zutrauen bei den Kindern. So hat Jesus bei seinen
Leuten damals Zutrauen oder Glauben erweckt. Da habe ich gar
keinen Zweifel. Wie das dann in den Wundergeschichten aufgefaßt
wurde, ist eine sehr viel speziellere und andere Frage. Aber die
Wundergeschichten wollen so, wie sie uns überliefert worden sind,
eben dieses festhalten, daß Jesus die Situation des Todes in der Einheit von Tod und Leben aus der Liebe bestehen will. Daß er sich da
hineinstellt und alles darauf ankommen läßt, daß da, wo er so da
steht, »intercediert«, Gott selber mitmacht, weil es sein Sohn ist, das
ist mit Gottes Herrschaft gemeint. Das haben die Menschen damals
erfahren. Nur hilft mir ihre Erfahrung wenig. Ich muß es selber erfahren. Und ich finde, man kann es sehr wohl erfahren und muß

nicht immer so tun, als ob wir so weit weg wären. Wir sind bloß *gedanklich* weit weg. Wir sind *rational* weit weg. Mit Recht! Da steckt ein Gericht Gottes drin. Aber wir sind existentiell — und das meint nämlich existentiale Theologie — wir sind existentiell fortgesetzt davon betroffen, und zwar überall da, wo wir zurückweichen und den Glauben an etwas anderes verraten. Das ist der springende Punkt.

These 3:
Gottes Herrschaft bedient sich des Todes, der Leiden und der Schwachheit als ihrer Mittel und des Glaubens als Arznei und Teilgabe an einem Dasein vor Gott, in Gott und aus Gott (Röm. 8).

Zu These 3:
a) Gottes Herrschaft und ihre Mittel

Deswegen habe ich in der dritten These gesagt: »Gottes Herrschaft bedient sich des Todes, der Leiden und der Schwachheit als ihrer Mittel.« Das kann man ja nun im Neuen Testament wirklich finden. »Und des Glaubens« aber auch! Nämlich: »Gottes Herrschaft bedient sich des Glaubens als Arznei.«

b) Glaube als »Arznei«

Mir liegt an solchen inhaltlichen Angaben. Ich finde, man muß schon fragen: Was ist Glaube? Vorhin habe ich gesagt: »Zutrauen.« Und jetzt sage ich sogar: »Arznei«, Arznei für Menschen, denen das irdisch Unwiderrufliche, des Todes z. B., begegnet. Für die ist der Glaube Arznei, nichts anderes. Aber natürlich auch dort, wo ein Mensch sagen muß: »Ich habe mein Leben verfehlt, ich habe mich versündigt!« Oder dort, wo man sagen muß: »Dieses Kind ist schwach begabt. Es wird's soundsoweit bringen, und dann ist's aus!« Oder man muß es in die Hilfsklasse tun. Ja, sich darein nicht bloß *schicken,* sondern nun *Gott den wirklichen Partner unserer Existenz sein lassen — das ist dann Glaube!* Und da ist der Glaube Arznei. Ich habe selber mal ein ³/₄ Jahr lang Unterricht gegeben in einer Hilfsklasse. War schön! Wir haben einander geliebt. Das war eine feine Situation mit diesen Kindern, denn da kam's heraus, was Kinder sind.

c) Glaube als Teilgabe

Zweitens: Arznei ist der Glaube deshalb, weil er natürlich Teil*gabe* ist, nicht bloß Teil*habe*. Teil*gabe*, an was? Nun sagt Herr Professor Künneth — und das ist der Begriff, demgegenüber ich am hilflosesten bin —: Teilgabe an einer »pneumatisch-leibhaften Wirklichkeit«. Das verstehe ich einfach nicht. Ich meine, ich weiß schon, was er sagen will. Er will natürlich sagen: Teilgabe an etwas, was Gott auf wunderbare Weise wirkt und was Gott so wirkt, daß es wirklich Bestand hat, daß man darauf stehen kann, daß man sich darauf verlassen kann und daß du da durchkommst, wenn du an dieser Wirklichkeit teilhast. Ich nehme an, das will er sagen. Und da würde ich meinen: Ja, das würde ich auch meinen. Ganz recht!

Aber ich würde dann weiter fragen. Und da kommen wir an den eigentlichen Streitpunkt dieses Tages. Sie dürfen nicht vergessen: Wir streiten jetzt nicht einfach wie Glaubende und Ungläubige. Ich bin ja kein deutscher Christ, den Herr Künneth bekämpfen muß. Wir waren damals von der gleichen Couleur, so ungefähr, nämlich auf der anderen Seite. Ich habe auch nicht gesagt: »Glaubt an Feuerbestattung, und dann ist's aus!« Nicht wahr, das darf man nicht so primitiv nehmen. Die Probleme liegen ganz anders. Wir reden jetzt in einer Kirche. Das gefällt mir ausgezeichnet. Wir reden im Gottesdienst, jawohl! Das ist recht! Und da reden wir jetzt von Theologie! Also reden wir von Problemen, die uns als Probleme mindestens aufgegeben sind. Da muß man aufpassen. Das kann man nicht einfach mit Hammerschlägen erledigen. Da sage ich nun: In der Theologie kommt's sicher darauf an, wie man sich ausdrückt. Und deshalb meine ich halt, ich sei hilflos. Da muß mir eben der Systematiker noch ein bißchen beistehen. Warum nicht? Dazu ist er da, weil er sagt: »Pneumatisch-leibhafte Wirklichkeit.« Nicht wahr, das ist: »Pneumatisch« — Strich — »leibhaft«.

Ich habe nichts gegen »leibhaft«. Das ist selbstverständlich! Ach, das ist doch so lutherisch wie nur irgendwas! Luther mag seine Frau und seine Kinder und ist tieftraurig, wenn eins stirbt. All das ist leibhaft. Und was ist »pneumatisch« bei Luther? Nun wird's interessant! Da sagen natürlich manche: »Ja, daß er die Bibel übersetzt hat, das ist pneumatisch«. Das war nicht Herr Künneth! Das habe ich nicht behauptet. Oder: » . . . daß er Autorität geblieben ist.« Aber ich will das lieber lassen, das ist mir zu gefährlich; da werde ich zu leicht mißverstanden. Aber ich liebe ihn, den Luther. Und ich finde, sein »Pneumatisches«, das waren eigentlich seine Aussagen vom Glauben. Der (Luther) kann doch sagen, der Glaube sei allmächtig, tut selber Wunder, was er sagt, ist wahr, weil der Glaube — das ist natürlich ein toller Gegensatz zu dem vorhin Gehörten — weil der Glaube geradezu im Heiligen Geist das schafft, was er sagt, wie Gott! So weit kann das bei Luther[5] gehen. Das ist doch seltsam.

Dann kommen natürlich die anderen Fragen: »Du liebe Zeit, macht denn der Glaube, wen oder was, die Auferstehung Jesu Christi? Ist sie denn ein Produkt, ein Fabrikat des Glaubens? Dann ist's natürlich ein Philosophoumenon erster Klasse und im Grunde eine Seifenblase, an die sich niemand halten kann.« Dann hat natürlich Professor Künneth recht.

Aber, ist das so gemeint? Ist das die einzige Möglichkeit, von der Relation des Glaubens zur Auferstehung Jesu Christi zu sprechen? Wenn es so ist, daß die Situation des Todes oder des Unwiderruflichen, des Entschiedenen gilt: Du kannst deine weißen Haare schwarz machen, wenn du sie färbst, aber schwarz wachsen lassen, das ist kaum möglich. Und wenn sie bei dir schwarz wachsen würden, wenn du sie schon weiß hast, dann wäre es eine Krankheit und kein Wunder. Das ist anzunehmen.

Lachen in der Gemeinde.

Fuchs: Nicht wahr, das ist die Situation, von der wir ausgehen, daß es Unwiderrufliches gibt, so unwiderruflich wie das Kreuz Jesu Christi, das doch auch nicht erweicht werden will und soll. Und wenn man *davon* ausgeht, von *dieser* Realität des Unwiderruflichen, dann muß man freilich sagen, daß uns ohne den Glauben hier überhaupt nichts aufgeht. Dann muß man sich fragen, ob das, was geschieht, außerhalb des Glaubens geschieht oder nicht. Das ist ja eigentlich die entscheidende Frage. Ich glaube, hier sind wir am Kernproblem, das auch die sog. »existentiale Theologie« trifft: Kann man denn von Gott, oder soll man denn von Gott sagen, daß er außerhalb des Glaubens Gott ist?

d) Wo will Gott als Gott erscheinen?

Ich selber neige zu Luthers Abendmahlsformulierung — ich gestehe Ihnen das ganz offen —, daß man sagt: »Ob du es auch nicht glaubst, so war Gott trotzdem da, Christus; und du bist verurteilt und gerichtet, mein Lieber. Nimm dich in acht! Das wirkt auch ohne deinen Glauben, wenn's dir auch nichts nützt ohne den Glauben!« Das gefällt mir. Es gefällt mir jedenfalls besser als jeder Symbolismus. Das muß ich gestehen. Das ist schon so.

Aber nachdem ich Ihnen dieses Geständnis gemacht habe, was Ihnen
in einem lutherischen gottesdienstlichen Raum schon ganz gut gefallen kann, finde ich . . .
Lachen in der Gemeinde.
Fuchs: . . . muß ich nun doch hinzufügen, daß auch ich hier Probleme
finde, und zwar eben deshalb, weil Luther hier die Realitätsfrage
eingeengt hat, obwohl sie für ihn sicherlich viel weiter trug. Da
wurde etwas als Streitpunkt isoliert. Das meine ich. Und ich finde, das
kann man vielleicht bestreiten oder korrigieren; laß' ich mir gern gefallen.
Ich finde, daß das eben doch die Grundfrage ist: Wie ist das mit
Gott? Und nun will ich die Frage selber einmal systematisch formulieren: Können wir Gott zutrauen, daß er selber das verfügt, daß er
außerhalb des Glaubens nicht ist und innerhalb des Glaubens ist?
Was dann? Wenn Gott sich so an den Glauben bindet, daß da, wo
Glaube ist, Gott ist, und da, wo keiner ist, kein Gott ist, es sei denn,
daß Gott den Glauben sozusagen im stillen heimlich voraussetzt —
was dann? Können wir das fassen oder nicht?

e) Was ist Wirklichkeit?

Wie müssen wir eigentlich von Gott reden, und das heißt auch, wie
müssen wir von Realität reden? Das ist nämlich unser eigentliches
Problem hier. Kann man vom leeren Grab so sprechen, wie wir es
vorhin gehört haben? »Warum soll das Grab nicht leer gewesen
sein?« würde ich dann schon fragen, wenn ich antworten *müßte.*
Aber ich bitte Sie, wie steht denn die Sache, wenn es tatsächlich so
ist, daß das ein sehr viel später explizierter, entwickelter Gesichtspunkt gewesen ist, der tatsächlich in diesen ältesten Aussagen mindestens einfach nicht betont ist? Mag ja sein, daß Paulus derartiges
auch gedacht hat, aber er hat's nicht für wichtig gehalten; er *sagt* es
gar nicht. Er sagt bloß: »Wurde begraben und auferweckt am dritten
Tage.« Und vom dritten Tag meint er auch etwas anderes, als wir
meinen. Darauf brauche ich jetzt gar nicht einzugehen. Das können
wir vielleicht im Lauf des Tages machen. Aber, was heißt das dann?
Nicht wahr, hier steckt's nämlich! *Was heißt Wirklichkeit, wenn
Gott selber derjenige ist, der präzisiert, bestimmt, schafft, macht,
definiert, mitteilt und verweigert, was Wirklichkeit ist? Was dann?*
Oder bin ich der Gefangene von modernen surrealistischen Theater-
stücken, wenn ich diese Frage stelle? Sie ist nämlich nicht zum erstenmal gestellt in der Dogmatik und Kirchengeschichte und Exegese.

Deshalb habe ich in meiner 3. These gesagt, es handele sich hier um »Gottes Herrschaft«. Gottes *Herrschaft!* Damit meine ich selbstverständlich Gottes Aktivität! Was denn sonst? Auch: »Gottes Liebe«, gerade das, »bedient sich des Todes, der Leiden« — ja der Leiden, auch des Krebses! — »und der Schwachheit« — das sind die Ärzte, die sind schwach! Ich hab' einen Sohn, der Neurochirurg ist. O, das ist Schwachheit. Die machen tolle Sachen, aber sie sind gefoltert, finde ich, wenn sie es ernst nehmen, und sie nehmen es schon ernst. Also das ist alles Schwachheit, auch Schwachheit — »als ihrer Mittel« — das sind Mittel der Gottesherrschaft — »und des Glaubens als Arznei und Teilgabe an einem Dasein vor Gott, in Gott und aus Gott«. Das meine ich!

Nun, ich hoffe, wir können dies und das und jenes klären, aber vor allem hoffe ich, daß Ihnen wenigstens irgendwie die *Frage* klar geworden ist, um die es sich hier handelt, nämlich daß wir hier nicht miteinander sprechen, um abzustimmen über etwas, worüber man so ohne weiteres abstimmen kann, sondern daß wir über Fragen sprechen, die wir beide, Herr Künneth und ich, sicherlich nicht erfunden haben.

Tagungsleiter: Unser Plan sieht vor, daß wir jetzt aus dem Gesangbuch Nr. 86 die Verse 1 und 2 singen: »Auf, auf, mein Herz, mit Freuden, nimm wahr, was heut' geschicht . . .«

Organist: Choralvorspiel

Gemeinde:
Auf, auf, mein Herz, mit Freuden
Nimm wahr, was heut geschicht;
Wie kommt nach großem Leiden
Nun ein so großes Licht!
Mein Heiland war gelegt
Da, wo man uns hinträgt,
Wenn von uns unser Geist
Gen Himmel ist gereist.

Er war ins Grab gesenket,
Der Feind trieb groß Geschrei;
Eh ers vermeint und denket,
Ist Christus wieder frei
Und ruft Viktoria,
Schwingt fröhlich hier und da
Sein Fähnlein als ein Held,
Der Feld und Mut behält.

III

Disputation zwischen
Professor Künneth und Professor Fuchs

*(Die ersten Minuten der Disputation fehlen in der Tonbandaufzeich-
nung)*

Künneth: ... sogar so etwas wie eine persönliche Liebeserklärung
wurde gesagt. Herr Kollege Fuchs, das hat mir wirklich wohl getan.
Fuchs: Ist recht ...
Lachen in der Gemeinde.
Künneth: ... wirklich wohl getan, denn Sie wissen ja, daß ich in die-
sem Punkt von Ihren verehrten Kollegen nicht immer grad verwöhnt
bin, nicht?
Lachen in der Gemeinde.
Künneth: Aber ich nehme das sehr ernst, und ich danke Ihnen dafür.
— Jetzt zu den eigentlichen Dingen selber. Ja, das ist natürlich eine
ganze Speisekarte, eine Fülle von Problemen. Nur nebenbei vielleicht
folgendes: Sie sagten, die apostolische Botschaft sei nicht so einheit-
lich, wie ich es hier zum Ausdruck brachte. Nicht?
Fuchs: Hm, ja.

1. Einheit und Vielfalt im Neuen Testament

Künneth: Nicht wahr, so etwas sagten Sie doch? Da würde ich sagen:
Ja, natürlich, ich bin mit Ihnen, das ist gar kein Problem, einer Meinung, daß die Spannweite der Ausdrucksweise, der Vorstellungen,
der Bilder, der Begriffe, der Termini ungeheuer groß ist, ja! Aber
deswegen darf man ja nicht sagen, daß etwa der Einheitspunkt nicht
da wäre. Und da glaube ich allerdings, daß sämtliche Evangelien,
sämtliche Briefe des Neuen Testaments an diesem entscheidenden
Punkte völlig einer Meinung sind, nämlich: der historische, der geschichtliche Jesus von Nazareth, der Gekreuzigte, ist von Gott auferweckt, der lebendige Herr. Das drücken zwar auch die Schriftsteller
in verschiedener Weise aus, aber ich glaube, die Einheit ist einfach da.
Oder würden Sie nicht meinen?

Fuchs: Ja, also, natürlich, wenn Sie das als *Thema* sagen, wenn Sie z. B. gesagt hätten: »Das ist das Thema des ganzen Neuen Testaments«, können Sie ruhig sagen — dann würde ich sagen: »Das ist wahr!« Aber jetzt, schon beim nächsten Schritt muß ich eine gewisse Zurückhaltung üben. Das soll jetzt nicht gleich ein Veto gegen Ihre These sein, sondern einfach eine Angabe fürs Weiterführen. Also: Haben denn die dort im Neuen Testament, alle, die da jetzt reden, haben die das Thema »Die Auferstehung Jesu Christi von den Toten« wirklich auch in gleicher Weise verstanden?

Künneth: Davon bin ich überzeugt!

Fuchs: Ja, bitte, o bitte, das ist viel schwieriger für mich. Sehen Sie, ich könnte mir's ja auch leichter machen und könnte sagen: »Ich will's doch annehmen und so haben!« Aber ich muß ja wieder nach Hause kommen. Und das ist nicht bloß in Marburg so, sondern auch anderwärts.

Künneth: Ich verstehe Ihre Situation.

Fuchs: Die lassen mich durchfallen. Die sagen in der Exegese ... Das klingt jetzt so komisch und unernsthaft ...

Künneth: Nein, versteh' ich.

Fuchs: ... aber ich lach' selber ein bißchen drüber. Das muß ich gestehen. Aber wissen Sie, das geht nicht, Herr Künneth, wir können das nicht so akzeptieren. Dazu sind die Verhältnisse innerhalb der Tradition, also das, was man heute so, ach, »traditionsgeschichtlich« nennt — ist kein schöner Terminus —

Künneth: Ja, ich kenn' das schon!

Fuchs: ... einfach zu *verschieden!* Da kann man nichts machen. Sehen Sie, nehmen Sie den Jakobus, den Bruder Jesu, da weiß man nicht so viel. Da kann man natürlich eine Masse behaupten. Haben Sie nicht getan. Aber es ist nicht gesagt, daß für Jakobus einerseits, Petrus andererseits oder für beide miteinander die Auferstehung Jesu Christi wirklich dasselbe impliziert wie für Paulus. Natürlich können Sie sagen: »Ach, jetzt mach' doch keine Geschichten. Reisbrei besteht aus Reis und Milch und ein bißchen Wasser drin!«

Künneth: Richtig!

Fuchs: Und so also auch hier: Real! Nicht?

Künneth: Richtig!

Fuchs: Entweder ist er auferstanden, oder er ist nicht auferstanden!

Künneth: Ja, ja, das ist ...

Fuchs: Das kann man machen. Und so haben Sie auch vom leeren Grab geredet. Das Wort »Realität« ...

Künneth: Wollen wir mal diese Frage beiseite lassen ...

Fuchs: Das können wir auf der Seite lassen! Bloß daß klar ist: Hier, meine ich, seien die Auffassungen schon im Neuen Testament leider nicht so einlinig und einebnig.

Künneth: Sie sprachen gerade, Herr Kollege, von der Exegese. Ja, und nun erweckten Sie den Anschein, als ob Exegese kontra Systematik stünde. Das ist insofern richtig, als wir bis zu einem gewissen Grad wirklich eine verschiedene Sprache sprechen, und die terminologischen Schwierigkeiten, die Sie mit mir haben, habe ich natürlich auch mit Ihnen.

Fuchs: Ja klar!

Lachen in der Gemeinde.

Künneth: Aber immerhin, wir können uns ja doch bis zu einem gewissen Grade verständigen. Das scheint mir wenigstens die Aufgabe von heute zu sein. Und nun meine ich, es steht hier nicht Exegese gegenüber einer dogmatischen Gesamtschau, sondern — und ich weiß, das gefällt Ihnen nicht, wenn ich das sage — ich bin der Meinung, daß hinter der Exegese eine bestimmte Entscheidung steht. Sie sagen, man könnte sagen: »Vorverständnis«, ein bekannter Begriff, nicht? Eine Prämisse, eine Voraussetzung, von der aus Exegese getrieben wird. Nun, ich glaube, daß das ganz entscheidend ist. Und je nach den Vorentscheidungen, die ich getroffen habe, werden auch die exegetischen Resultate natürlich ganz verschieden aussehen. Man hat zwar den gleichen Stoff, aber man kommt zu verschiedenen Ergebnissen. Das möchte ich am Rande jetzt nur ausgesprochen haben.

Fuchs: Einverstanden! Ich bin der gleichen Meinung wie Sie.

Künneth: Na ja, das ist ja ausgezeichnet!

Lachen in der Gemeinde.

2. Wie verhalten sich Auferstehung (1. Kor. 15) und Liebe (1. Kor. 13) zueinander?

Künneth: Aber nun darf ich vielleicht zu Ihren Thesen noch einmal ein Wort sagen. Sie haben gesagt, 1. Kor. 15 müsse durch 1. Kor. 13 interpretiert werden, nicht wahr?

Fuchs: Ja.

Künneth: Nun ja, ich war ja erstaunt, daß man auf diese Idee kommen kann ...

Fuchs: Warum?

Künneth: Ich wäre nicht darauf gekommen.

Fuchs: Ja, halt! Da darf ich geschwind sagen ...

Künneth: Ja.

Fuchs: Das ist natürlich exegetisch darin begründet, daß es tatsächlich akzeptable Thesen gibt, die meinen, daß beide Kapitel nicht demselben Brief angehören ...

Künneth: Ach so!

Fuchs: ... und daß 1. Kor. 13 das Nachfolgende sei. Von daher ist das exegetisch naheliegend, sozusagen argumentierend.

Künneth: Ach so!

Fuchs: Aber wenn Sie diese literarkritische These nicht annehmen, macht's auch nichts. Man kann sich trotzdem überlegen, ob der höhere Berg — oder wie soll man sagen — jedenfalls der Berg, von dem aus der andere eingesehen werden kann, nicht 1. Kor. 13 ist.

Künneth: Ich würde, abgesehen von diesen speziellen Sachfragen, eben meinen: 1. Kor. 13 redet doch ganz zweifellos als ein gewisser Höhepunkt von pneumatischen Gaben. Nicht?

Fuchs: Ja.

Künneth: Woher kommen die pneumatischen Gaben? Doch zweifellos von der Grunderkenntnis her: Der Kyrios, der Herr aber ist das Pneuma, der Geist. Also steht insofern all das, was in 1. Kor. 13 gesagt ist, auch wieder im Licht der Auferstehung. Und ich könnte sagen, wir haben hier in der Tat eine Folge, eine gewisse partielle Explikation der Wirklichkeit des Auferstandenen, die sich eben gerade auch in der Agape konsekutiv, folgerichtig, irgendwie darstellt. 1. Kor. 13 steht in einem gewissen sachlichen Abhängigkeitsverhältnis zu dem Auferstehungszeugnis 1. Kor. 15, ist aber nicht Grund der Deutung der Auferstehung. Verstehen Sie?

Fuchs: Nein. Da habe ich eine Frage. Vielleicht können Sie darauf antworten, oder wir verschieben sie dann. Wie Sie wollen. Also, ich würde gerne von Ihnen wissen: Was meinen Sie? Die Liebe in 1. Kor. 13 scheint mir auf Christus selbst hinzuweisen, weil es ja zwischen 12 und 14 steht. Sie haben das selber schon angedeutet. Also: Auf den Auferstandenen selbst! Nun, wie ist das nach Ihrer Meinung — das ist einfach eine Frage, sie braucht nicht gleich beantwortet zu werden —: Wie verhält sich die Liebe zu Jesus Christus? Jesus Christus ist hier nicht einfach der Repräsentant einer Idee! Das wollen wir ja beide sicher nicht. Es dreht sich weder um ein Christusprinzip noch um eine Liebesidee, also auch bei Ihren Aussagen nicht. Aber nun frage ich: Verhält sich Christus zur Liebe — das ist jetzt natürlich eine bißchen perverse Analogie — wie die Biene zum Honig? Verhält sich Christus zur Liebe wie die Biene zum Honig? Also, die alten Kirchenväter hätten solche Beispiele zugelassen, oder?

Lautes Lachen in der Gemeinde.

Fuchs: Wir machen es so freundlich wie möglich. Ich mein's auch
wirklich so. Also fassen Sie das bitte nicht so auf, als ob wir Ihnen
da ein Schauspiel vorführen wollten. Wir wollen Sie nur so leicht
wie möglich über das unangenehme *Äußere* der Situation hinweg-
bringen, da sind wir beide einig, Herr Künneth und ich, nicht wahr,
Herr Künneth? Aber wir wollen doch hier kein Schauspiel ver-
anstalten. Und daß wir es uns selber auch leicht machen, das ist ja
bloß richtig, und wenn wir dann ein bißchen Scherz mit unterlaufen
lassen, so ist das unsere Sache, jedenfalls in dem Fall: meine.
Also ich sage jetzt: Verhält sich Christus zur Liebe wie die Biene
zum Honig? Damit meine ich: Wo Honig ist, sind auch Bienen. Wo
Liebe ist, ist Christus, und zwar, das behaupte ich jetzt — das soll eine
These sein, die ich Ihnen vorlege —: mit der Notwendigkeit Gottes!
Wenn jetzt einer sagt: Ja, ist dann Christus auch dort, wo Liebe in
Persien oder in Medien ist? Dann sage ich: Ja, bloß nicht offenbar.
Das meine ich. Und wenn einer sagt: Ja, dann hast du doch ein
Christusprinzip! Dann sage ich: Du hast die Prämisse nicht verstan-
den! Das soll jetzt ein Beitrag sein zu 1. Kor. 13, zu der Einheit von
Leben und Tod oder zu der Wirklichkeitsbestimmung, die Sie treffen,
von der ich halt haben möchte, daß Sie sich dazu bereit erklären, was
Sie eigentlich nach Ihrer theoretischen Prämisse müssen, daß wirklich
Gott selber präzisiert, definiert, daß Er schafft, nämlich so etwas wie
Wirklichkeit. Und das meine ich, will das Neue Testament, auch
Paulus, daß wir z. B. mit Hilfe von so etwas wie Liebe uns klar
machen, was Gott da tut, wenn er am Werke ist, oder: Wo der Aufer-
standene ist. Verstehen Sie? Das meine ich. Haben Sie mich verstanden?
Künneth: Ja, ich hoffe.
Fuchs: Ja, also bitte! Sie redeten von Wirklichkeit der Auferstehung, ja?
Und ich habe es jetzt ein bißchen korrigiert, das ist wahr, indem ich
sagte: Ich rede jetzt vom Auferstandenen *selber!* Da, wo er ist — davon
rede ich.
Künneth: Ja.
Fuchs: Und ich finde, da, wo er ist, da kann man auch von ihm reden.
Da ist er ja da! Während: Da, wo er nicht ist, nicht sein will, kann
man nicht von ihm reden. Und so finde ich, fehlt an Ihrer Realitäts-
bestimmung »Wirklichkeit des Auferstandenen« — wahrscheinlich ist
das gar nicht Ihre Absicht — noch eine wesentliche inhaltliche Bestimmung vom Auferstandenen her. Das meinte ich. Das wollte ich
Sie gefragt haben.
Künneth: Ja, aber jetzt, glaube ich, kommen wir schon wieder mehr
dem Zentrum nahe.

Fuchs: Hm, recht!

Künneth: Ich würde darauf so antworten: Das, was Liebe ist, im Neuen Testament »Agape« genannt, das ist in der Tat eine Wirkung, eine Dynamik, eine Ausstrahlungskraft des Auferstandenen. Und wo die »Agape« in der Gemeinde ist, da ist in der Tat der Auferstandene existent, *lebendig.*

Fuchs: Aha!

Künneth: Aber nun dürfen wir — darf ich das rasch noch sagen? — aber nun dürfen wir nicht etwa sagen: Aha, also gut, jetzt reden wir von der Liebe. Nein! Wir reden heute, und das ist ja unser Thema, wir reden von dem Auferstandenen, wir reden von der Auferstehung. Und das ist ja nun mein — Sie verstehen das nicht bösartig, wenn ich das sage — mein Vorwurf gegen Ihre Thesen. Sie machen in Ihren Thesen den Versuch, an der entscheidenden Frage vorbeizugehen.

Fuchs: An was?

Künneth: An der entscheidenden Frage vorbeizugehen, nämlich uns darzulegen, was nach Ihrem Verständnis wirklich die Auferstehung Jesu von den Toten ist. Daß sie sich auswirkt in Liebe, das ist ganz klar. Aber sehen Sie noch einmal Ihre Hauptthese von der Einheit von Tod und Leben in der Liebe. Das ist doch für Sie also eine zentrale Formulierung. Nicht? Warum gefällt mir aber dies nicht? Nicht, weil ich nicht auch wüßte, daß darin zweifellos Richtiges steckt. Und natürlich könnte ich auch einmal so formulieren. Aber warum genügt diese These nicht? Könnten diesen Satz »Einheit von Tod und Leben« nicht auch — ich weiß, Sie sind davon getrennt — die Vertreter des früheren Liberalismus aussprechen? Sagen die nicht das gleiche in ihren Worten? Oder: Könnte das nicht auch Goethe sagen? Ähnliches hat er ja auf jeden Fall gesagt. Oder: Kann das gleiche nicht auch Karl Jaspers sagen? Das kann man ja auf Schritt und Tritt nachweisen, daß er etwa so auch formulieren würde. Oder auch J. A. T. Robinson? Er würde mit Freuden diesen Satz auch nachsprechen. Oder schließlich auch Herbert Braun würde vielleicht so ähnlich sagen können! Und darum meine ich eben, dieser Begriff »Einheit von Tod und Leben in der Liebe« ist mir nicht präzis genug, nicht scharf genug, das Entscheidende dessen, was die Auferstehungsbotschaft meint, zum Ausdruck zu bringen. Das ist also eine, meiner Ansicht nach, entscheidende Frage, die hier einfach zu klären ist, wobei ich ja dann gleich noch eine ganze Reihe von anderen Fragen an Sie hätte.

Fuchs: Ja, ja, natürlich!

Künneth: Aber wir wollen einmal da stehen bleiben.

3. Was ist »Existentiale Theologie«?

Fuchs: Ich finde es ausgezeichnet, daß Sie das so gesagt haben, Herr Künneth, nämlich: Da kann man, glaube ich, auch einmal klären, was das eigentlich heißen soll: *Existentiale Theologie.* Das schadet nichts, wenn man das mal kurz sagt, nicht? Da wird immer das Stichwort »existentialistisch« gebraucht. Und als ich hierher kam, hab' ich gehört, man hätte hier nicht bloß dauernd Gegner der existentialen Theologie reden lassen wollen — natürlich in völliger Übereinstimmung miteinander —, sondern auch einmal selber hören, was das sei. Nun, finde ich, kann ich's hier aufs kürzeste klarmachen, was das ist. Ob da einer dagegen ist oder nicht, das ist mir jetzt egal. Also ich finde, das ist etwas ... Ach, Herr Künneth, wenn wir uns darüber verständigen könnten, das wär eine ganz große Sache! Das Wort »existential« hin oder her, das ist jetzt egal. Das ist sowieso 'ne Modesache.

a) Auf die konkrete Situation und den konkreten Zeitfaktor kommt es an (Fuchs)

Aber was meinen Sie zu folgendem: Also, ich verstehe unter »existential« nicht einfach bloß, daß man sagt: »Engagement«. Also eine Wahrheit des Engagements. Das heißt: Du kannst das nur verstehen, wenn du dich engagierst, d. h. dich entscheidest für oder gegen. Du verstehst es als Feind, du verstehst es als Freund, aber neutral kannst du es nicht verstehen. Das ist der ältere Begriff von »existential«. Und der würde Sie in der Tat dazu ermächtigen, existential und existentialistisch ziemlich miteinander in die Nähe zu rücken, obwohl bei Bultmann die Sache etwas anders ist, zum Teil, aber er hat Sartre z. B. in dem Sinne verwendet und andere auch. Das ist wahr!
Nun finde ich aber, das ist gar nicht das Problem. Denn Engagement fordern Sie ja selber. Das haben Sie ja vorhin gesagt, nicht? Man kann doch nicht einfach kaltschnäuzig von Auferstehung Jesu Christi von den Toten reden. Da ist man eben engagiert oder nicht. Wenn Sie sagen, der Glaube ist Produkt der Sache, der Sache selber, so meinen Sie das ja. Ich meine, das ist mir völlig klar.
Aber ich finde, die Schwierigkeit oder das, worauf es ankäme, wenn man wirklich existential reden wollte, ist folgendes: Sind wir uns auch darüber im klaren, daß es sich nicht einfach bloß darum dreht, daß ich mich für eine an sich kalte Sache sozusagen erhitze? Ich muß

jetzt wieder einen Vergleich nehmen, damit es recht deutlich ist: Es geht nicht darum, daß ich jetzt — das haben Sie ja übrigens auch abgelehnt — daß ich jetzt mit dem Glauben sozusagen Feuer hineinbringe in das kühle Wort der Information: »Christus ist auferstanden!« Darum kann es sich gar nicht handeln. Sondern es handelt sich darum, daß die Botschaft »Christus ist auferstanden!« — ja, nun ist der Vergleich ein bißchen schwierig, weil er so schwärmerisch klingt — von vornherein nur in einer bestimmten Temperatur möglich ist, vergleichsweise gesprochen.

Nicht wahr, da kommen Sie nämlich in Schwierigkeiten, weil nach meiner Meinung hier bei Ihnen ein Widerspruch da ist. Entschuldigen Sie, wenn ich das so sage. Einem Systematiker einen inneren Widerspruch vorzuwerfen, ist ja das Ärgste, was man tun kann. Aber ich bin ja auch 61. Wir widersprechen uns oft.

Lachen in der Gemeinde.

Fuchs: Das ist nicht so schlimm.

Künneth: Ich weiß es zu würdigen.

Fuchs: Gut, gut! Also schön!

Und nun sage ich halt, diese modern klingende Formel, daß man immer sozusagen den Celsiusgrad oder die Situationsangabe bei einer Aussage dabei haben muß, wenn man die Aussage selber überhaupt zur Kenntnis nehmen will, das scheint mir das Entscheidende! Das heißt nicht einfach: Engagement der Person, die hört. Man könnte schon besser von einem Engagement der Aussage selber reden. Also, wenn z. B. die alte Dogmatik sagt: Gott hat sich in der Inkarnation in der Welt engagiert. Das können Sie sagen. Das fände ich eine existentiale Aussage, denn dann muß sofort deutlich sein: Jetzt wird's entweder Licht oder Nacht. Eins von beiden. Da gibt's kein drittes. Wenn so geredet wird, dann wird existential geredet. Also das heißt: Kant hat nicht recht, wenn er z. B. sagt, es gibt einen zeitlosen Imperativ der kategorischen Pflichterfüllung oder so was. Der ist grundsätzlich (so Kant) zeitlos und gilt alle Zeit, immer, ohne jede nähere Situation. Der geht gerade in die konkrete Situation hinein, und zwar in jede. Daher die Kritiken (mit der materialen Wertethik)[6]. Und ich sage: *Nein!* Sondern gerade der konkrete Zeitfaktor ist entscheidend, auch bei jeder Forderung.

Lassen Sie mich das auch noch sagen, bloß damit deutlich wird, wie man überhaupt reden will, wenn man existential redet. Also, wenn z. B. Jesus sagt: »Verlasse alles und folge mir nach!«, so ist das nicht egal, ob er sagt oder meint: Verlasse *heute* alles und folge mir nach, oder ob das »heute« wegbleibt. Das ist nicht gleich. Ich hab da einen

Riesenstreit mit Bultmann, weil Bultmann sagt — gerade in seiner
Heidelberger Akademievorlesung —, wie ich dazu käme, daß ich von
Jesu Forderung auf Jesu eigenen Gehorsam schließe. Da sage ich:
Das ist doch ganz einfach! Wenn Jesu Forderung eine zeitlose Forderung ist, kann man nicht auf seinen Gehorsam schließen. Wenn
die Hausfrau zum Dienstmädchen sagt: Du hast jeden Morgen um
sechs Uhr aufzustehen, so ist das eine mit Zeitinhalt, aber doch zeitlos gemeinte Forderung. Da ist nicht gesagt, daß die Hausfrau auch
um sechs Uhr aufsteht. Vielleicht gerade nicht. Aber wenn Jesus sagt:
Tue das!, so meint er: Ich verlange das, weil die Zeit dazu gekommen
ist, das zu verlangen. Wenn das die Prämisse ist, muß er auch selber
tun, was er fordert, nicht um der Forderung willen, sondern um der
Zeit willen, aus der die Forderung entsteht.
Das ist ein Schulbeispiel existentialer Interpretation. Und das gilt
auch für die Auferstehung.
Künneth: Gut, ja, das werde ich gleich noch . . .
Fuchs: Behaupte ich!
Künneth: Ja, ich verstehe das.
Lachen in der Gemeinde.
Künneth: Zunächst einmal bin ich mit Ihnen erfreulicherweise an
dem Punkt ihrer Kontroverse gegenüber Ihrem Meister Bultmann
einig.
Fuchs: Das freut mich!
Lautes Lachen in der Gemeinde.
Fuchs: Obwohl, Herr Künneth, wir wollen — damit jetzt nicht falsche
Gerüchte ins Land gehen — wir wollen uns darüber im klaren sein:
Ich glaube, Bultmann ist hier der Gefangene einer logischen Tradition,
in der er aufgewachsen ist. Man muß nämlich da oft zwischen Bult-
mann und Bultmann — wenn man ihn gut kennt — unterscheiden.
Also, ich bin nicht so dumm, daß ich jetzt Bultmann in törichter
Weise auf etwas festnagele. Ich wehre mich an dem Punkt, und zwar
auch literarisch[7]. Das kommt heraus, das habe ich in Druck gegeben.
Insofern ist es gerecht, diesen Punkt zu besprechen, und insofern
freut's mich, wenn Sie auch meinen, das wäre was.
Lautes Lachen in der Gemeinde.
Künneth: Ja, ganz bestimmt! Ich will Ihnen sogar sagen, warum ich
meine, »das ist etwas«. Weil nämlich damit wieder einmal mindestens
das Bemühen sichtbar wird, mit dem historischen Jesus von Nazareth
Ernst zu machen und ihn nicht einfach aufzulösen zu einem formalen
»Daß«. Das ist, glaube ich, in der Tat etwas Wichtiges. Und wir
Systematiker sind gar nicht so bösartig gegenüber den Exegeten. Wo

wir etwas Vernünftiges finden, nehmen wir es gern auf.
Lautes Lachen in der Gemeinde.
Fuchs: Ja, das hätten Sie nicht sagen sollen . . .

b) Nicht auf die Existenz, sondern auf die neue Wirklichkeit der Auferstehung kommt es an (Künneth)

Künneth: Ja, aber nach diesen scherzhaften Bemerkungen möchte ich doch sehr ernsthaft eine andere Frage jetzt mit Ihnen besprechen. Das hängt natürlich auch mit der existentialen Interpretation zusammen. Ich habe den großen Verdacht, daß Sie von einem, doch irgendwie mittelpunktartig genommenen, Selbstverständnis des Menschen, von dem Ich des Menschen ausgehen, gerade in der Erkenntnis, ohne Engagement kann man ja keine Aussagen machen, also muß ich mich mit hereinbeziehen, hereinnehmen. Und nun — das ist natürlich eine Binsenwahrheit, das sage ich auch: Engagement bedeutet die Auferstehungsbotschaft immer; da gebe ich Ihnen natürlich vollkommen recht — aber es fragt sich nur, welche Rolle in diesem Zusammenhang tatsächlich meine Erfahrung, meine Beurteilungsmöglichkeit, mein Ich-Verständnis spielen kann. Das wäre, glaube ich, jetzt wichtig. Und nun komme ich auf etwas, was Sie heute selber als zentral bedeutungsvoll herausgestellt haben. Was liegt eigentlich vor, wenn wir von dem Thema »Auferstehung« sprechen? Das ist doch nicht so, daß ich jetzt sage, wenn ich über die Auferstehung Jesu rede, dann muß ich auf mein Ich, auf meine Erfahrung, auf meine existentielle Lage reflektieren. Die ganze Sache, um die es hier geht, ist anders, völlig anders! Wir stehen hier doch vor einer Botschaft, vor einer Nachricht, vor einem Kerygma. Und diese Botschaft sagt uns etwas, was zunächst einmal gar nicht mit meiner Existenz unmittelbar jetzt zusammenhängt, so daß ich sagen könnte: Das verstehe ich, das habe ich schon erfahren, oder das hilft mir zu meinem neuen Existenzverständnis. Gar nicht! Sondern es wird uns etwas gemeldet. Und was wird uns gemeldet? Es wird uns gemeldet, daß etwas geschehen ist, irgend etwas passiert ist nach dem Kreuzestod Jesu, daß etwas sich ereignet hat, das, was ich also jetzt — um nicht irgendwie wieder ein Mißverständnis über die Begriffe auszulösen — nicht als eine Tatsache bezeichne so wie andere Tatsachen auch, sondern was ich neue Wirklichkeit nenne. Sind wir uns da einig?
Fuchs: Hm.
Künneth: Darauf kommt's nun an: Geht es im Neuen Testament,

speziell zugespitzt in der Auferstehungsbotschaft, um eine dahinter-
stehende — wie ich es nenne — »neue Wirklichkeit«, von der ich
überzeugt bin, daß sie tatsächlich aufgebrochen ist, oder ist nichts geschehen? Alle Anwesenden können ja nachlesen, daß das ganze Neue
Testament von dieser Botschaft erfüllt ist. Es geht hier um die Frage
nach dem Verständnis Gottes, in der Tat! Gott hat diese Wirklichkeit — und damit durchbreche ich den Ich-Kreis — hat eine neue
Wirklichkeit außer mir, außer der Welt, außer der Menschheit, gesetzt.

Woher weiß ich denn das? Das weiß ich nicht von mir. Wenn ich
das von mir weiß, dann wäre ich ja ein Philosoph. Das weiß ich durch
die Botschaft, daß es so ist. Und diese Wirklichkeit Gottes wird nun
ganz konkret, real, wirksam, aktiv in der Auferweckung dieses Jesus
von Nazareth, in dieser neuen — wie ich sage — in dieser »neuen
Wirklichkeit«.

Frage: Ist die Auferstehung Jesu nur in meinem Glauben da? Antwort von mir: Unter gar keinen Umständen! Sie ist da, auch wenn
ich nicht glaube. Sie ist eine Wirklichkeit extra nos pro nobis. Die
ersten Zeugen haben das verkündigt. Wirkung: Die einen sind überwältigt, die anderen glauben nicht, die anderen haben ihren Spott.
Das war vor 2000 Jahren so, und das ist heute auch so. Das ist nichts
Neues. Das ist klar. Das gehört zur Sache. Aber es geht hier um diese
Wirklichkeit außerhalb des Glaubens. Es geschieht in der Tat außerhalb des Glaubens etwas, genauso wie bei der Feier des Heiligen
Abendmahls etwas geschieht und sich ereignet, auch wenn ich nicht
glaube. Diese neue Wirklichkeit der Auferstehnug Jesu ist doch einfach das fundamentum christianum nach dem Neuen Testament.

Aber nun bitte, verehrter Herr Kollege, verstehen Sie mich jetzt nicht
falsch! Ich sage jetzt etwas, was Sie bestimmt bejahen werden. Selbstverständlich ist das keine neutrale Botschaft, die mich nichts anginge.
Selbstverständlich werde ich jetzt zum Engagement aufgerufen. Selbstverständlich werde ich jetzt aufgefordert: Glaube, entscheide dich! Jetzt
kommt die Entscheidungssituation. Aber wie ich in meinen Thesen,
ich hoffe, es unmißverständlich ausgedrückt habe: Vorausgegeben ist die
Wirklichkeit Jesu, die Wirklichkeit des lebendigen Herrn. Und jetzt
komme ich aufgrund dieser Botschaft in die Entscheidungssituation.
Daran hängt in der Tat alles: Gibt es diese Wirklichkeit, oder gibt es
sie nicht? Gibt es sie nicht, dann haben Sie volle, freie Bahn!

Fuchs: Wer?

Künneth: Sie und Ihre Freunde!

Fuchs: Wie? Was?

Künneth: Ja!

Fuchs: Warum ich?

Künneth: Weil Sie das in Ihren Schriften ausgesprochen haben.

Fuchs: Habe ich gesagt, diese Wirklichkeit gebe es nicht?

Künneth: Bitte?

Fuchs: Habe ich gesagt, das gibt es nicht?

Künneth: Vielleicht habe ich Sie falsch verstanden.

Fuchs: Dann müssen Sie vorsichtig sein!

Künneth: Ich will nochmals betonen: Wenn es diese Wirklichkeit der Auferstehung Jesu in diesem ganz konkreten, prägnanten Sinn nicht gäbe, dann — wir wollen mal Ihre Person jetzt aus dem Spiel lassen, damit Sie ja nicht etwas falsch verstehen —, dann ist es in der Tat möglich, in einer Fülle von anderen Begriffen und Termini davon zu reden, was für mich religiöse Bedeutung hat oder was meinen Glauben erweckt. Sie sagen z. B.: Der Glaube wird durch die Liebe Jesu bewirkt. Sie wissen genau, Theologen wie Wilhelm Herrmann hätten das auch gesagt, nicht wahr?

Fuchs: Ja!

Künneth: Oder es heißt dann: Die Person Jesu wirkt Glauben. Und Sie definieren: Glaube ist Zutrauen und Arznei.

Natürlich ist das alles richtig. Aber wieder erhebt sich die entscheidende Frage: Auf welchem Hintergrund, von welcher Prämisse, von welchen Voraussetzungen aus werden diese Aussagen über die Entstehung des Glaubens gemacht? Das NT verweist auf die Wirklichkeit der Auferstehung, die extra nos da ist. Diese Botschaft nimmt mich existentiell in Anspruch. Jetzt bin ich betroffen, jetzt muß ich mich entscheiden, damals wie heute. Das ist unsere Verkündigung, das ist die Aufgabe unserer Kirche.

Aber noch einmal zurück zu der eigentlichen Sache! Ich frage: Ist auch für Sie die Auferstehung Jesu der Grund, wohlgemerkt der Grund des Glaubens? Es gibt keinen Glauben, der nicht Osterglauben wäre. Das ist doch unmißverständlich, wie ich meine. Wenn ich Sie recht verstehe, so sagen Sie: Glauben gibt es — nach Ihrer Definition jedenfalls zu schließen — auch ohne Ostern.

Aber es ist doch ein sehr wesentlicher Unterschied, ob ich sage: Jesu Auferstehung ist Voraussetzung und Grundlage des Glaubens und der Kirche — meine These 2 macht das ja klar —, oder ob ich nun von vornherein auf diese Wirklichkeit der Auferstehung gar nicht mehr reflektiere und sage: Es kommt auf die Einheit von Tod und Leben in der Liebe an. Und dann sind wir bei dem Thema »Liebe«. Und nun kann ich von Liebe reden und auf die Auferstehungsbotschaft verzichten. Das darf aber gerade *nicht* sein!

Fuchs: Ha, also . . .

Künneth: Bin ich jetzt bösartig gewesen?

Fuchs: Nein, Herr Künneth, ich höre Ihnen eigentlich gern zu! Aber soll ich überhaupt jetzt das Wort ergreifen, oder wollen Sie noch . . .

Künneth: Nein, ich wäre dankbar, wenn Sie darauf antworten würden, denn es kommt ja alles auf die Beantwortung meiner Anfrage an Sie an.

Tagungsleiter: Ihre Zeit wäre noch nicht um, Herr Professor Künneth.

Künneth: Ja, aber ich glaube, Herr Landessuperintendent, wir sind so mitten drin im Gespräch.

Fuchs: Das macht doch nichts. Machen Sie ruhig so weiter!

Künneth: Ich weiß gar nicht, ob die Akzentverschiebung hier praktisch ist. Ich glaube, es geht gut so weiter, nicht?

Fuchs: Natürlich, das ist gleich, was Führung ist. Wir machen grad so weiter . . .

Lachen in der Gemeinde.

Künneth: Na ja, Sie dürfen auch mal . . . Es kommt ja nicht auf die Quantität an, nicht?

Fuchs: Ach, Herr Künneth, das ist ja . .

Künneth: Also, das wäre meine Frage, meine ganz zentrale Frage.

Fuchs: Gut gefragt! Und das ist auch genau die Frage, die ich von Ihnen erwarten muß, denn das ist nicht zum erstenmal, daß Sie das sagen. Das ist der Kern Ihrer ganzen Position.

Künneth: Genau!

Fuchs: Ob ich es nun gleich verstehe, ob wir noch Zwischenfragen brauchen, das werden wir dann schon sehen.

Darf ich mal vorausschicken: Wenn das das ganze Problem wäre, daß mich jemand fragen würde: »Kannst du als moderner Mensch die Auferstehung Jesu Christi akzeptieren, Ostern feiern, diesen Anfang einer ›neuen Wirklichkeit‹ — das ist ja Ihr Ausdruck — akzeptieren, daß das etwas ist, was erstens unser ganzes Christsein begründet und zweitens, daß unser Menschsein eben dadurch getragen wird, durch diese neue Schöpfungswirklichkeit?« Ja, liebe Zeit, da könnte ich bloß sagen: Ich weiß nicht, da brauchen wir nun wirklich nicht herumzustreiten. Das ist ein Gedankengang, gegen den ich an sich, so rein formal gesprochen, nicht protestieren würde. Das gibt es natürlich auch im Neuen Testament. Das kann man nicht bestreiten. Das ist schon da. Ob es in allen Aussagen da ist oder ob es Varianten sind, ob man z. B. das Wort »Osterglaube« in dem Sinn, in dem Sie es verwenden, gebrauchen kann oder nicht, will ich jetzt ganz außer acht lassen. Wenn ich mich gegen das Wort »Osterglaube« wende, so einfach deshalb, weil ich finde, daß gerade in den Partien, um die es sich hier handelt, der Glaubensbegriff selber gar nicht zur Diskussion steht im späteren paulinischen Sinn. Das ist eine rein terminologische Angelegenheit. Ich würde dann »Osterbekenntnis« sagen. Damit könnten Sie auch zufrieden sein.

Künneth: Na ja . . .

Fuchs: Das ist nicht das Problem jetzt. Sehen Sie, darin unterscheide ich mich vielleicht von vielen jungen Menschen, daß mir das persönlich natürlich nicht egal ist, daß ich fröhlich, gern und willig an diese neue Wirklichkeit Gottes glauben kann. Das ist für mich nicht das Problem. Und daß das Neue Testament das meint, wenn es vom »Herrn Jesus Christus« spricht und »durch unseren Herrn Jesus Christus« usw., und wenn es darin die Identität gerade auch des Auferstandenen mit dem Gekreuzigten sieht, so war mir das eigentlich noch nie besonders zweifelhaft. Ich halte das für gegeben. Aber mir reicht's nicht aus! Das ist die blöde Geschichte.

Künneth: »Es reicht nicht aus«, was heißt das?

Fuchs: Ja, jetzt, ja, ja, natürlich . . .

Künneth: Ja, was heißt das?

c) Die Frage nach der Begründung der Auferstehung ist philosophisch (Fuchs)

Fuchs: Also, Sie sagen: Wenn man von der Wirklichkeit sprechen will, die ich gerade genannt hatte, dann muß man einen Grund dafür haben. Nicht, das sagten Sie doch? Sehen Sie, da fällt mir's einfach schwer, Sie schon rein dem logischen Gehalt nach zu verstehen. Und deswegen habe ich damit begonnen, daß ich gesagt habe: Ja, mir leuchtet diese neue Wirklichkeit ein.

Also, ich kann doch meine Mutter nicht fragen, ob mein Vater wirklich mein Vater ist. Entweder bin ich Sohn der Familie, oder ich bin's nicht. Und wenn ich Sohn der Familie bin, dann ist mein Vater mein Vater. Und natürlich ist es ein schwerer Schlag, wenn es dann vorkommen kann, daß einem jemand beibringt — bei irgendeiner Stammbaumforschung kommt das ja auch vor —, daß der Betroffene gar nicht der Vater des betreffenden Kindes war. Aber das sind Ausnahmefälle. Das Entscheidende ist, daß man sagen kann: Das Familienleben ist von vornherein vielleicht unheilbar lädiert, wenn ein Kind hergeht und seine Mutter fragt, ob der Vater, mit dem er zusammenlebt, auch wirklich der Vater des Kindes ist. Nicht wahr, das

ist das, was mich jetzt — ich kann es immer nur in Bildern ausdrücken — an Ihrer Rückfrage nach der Begründung für die neue
Wirklichkeit stört.

Und nun kommt der andere Gesichtspunkt. Ich muß da noch ein
bißchen korreferieren. Entschuldigen Sie, daß ich so langweilig vor-
gehe. Es ist langweilig, was ich da mache.

Künneth: Nein, bitte sehr.

Fuchs: Aber ich muß mich halt erklären. Ich muß so deutlich wie
möglich werden.

Künneth: Aber, ich bitte Sie!

Fuchs: Also, es ist so: Der zweite Gesichtspunkt, der mich hier bewegt, ist dieser — und da komme ich wieder zu der Sache mit dem
Unfall von gestern: Nein, das geht mir nicht so, daß ich mit der Botschaft im Kopf im Auto sitze. Das ist einfach nicht richtig. Ich denke
gar nicht an die Botschaft im Auto, sondern ich unterhalte mich mit
dem netten Herrn Bergner (Missionar als Chauffeur), der die Botschaft auch kennt und an seinem Steuer sitzt, und es wäre mir un-
sympathisch, wenn wir jetzt zu viel von der Botschaft ausgingen. Der
soll aufpassen auf seinen Fahrweg, und ich störe ihn da nicht nach
Möglichkeit, obwohl wir uns trotzdem unterhalten, ich geb's zu. Und
dann kommt der Unfall daher und überrascht mich in der Situation
des Fahrens. Und eben in der Situation, in der wir uns befinden,
eben dann, wenn ich das sehe — ich weiß auch nicht, wie das psychologisch ganz genau vor sich geht — denke ich in der Tat an die Botschaft. Und dann, muß ich sagen, kann ich mich der Botschaft, die
ich ja kenne, nicht ohne weiteres in die Arme werfen und beruhigt
weiterfahren und denken: »Du bist ja der Vater auch von dem da,
der da liegt; es wird dann schon recht werden.« Ich habe nicht gesagt,
daß Sie das sagen. Ich erzähle Ihnen jetzt bloß meinen Stand, damit
Sie verstehen, was ich fühle.

Künneth: Ja, ja.

Fuchs: Das gehört nämlich hierher, finde ich. Mich trifft das scheußlich,
und ich bin allerdings froh, daß ich in der Botschaft sozusagen die
Gegenwand habe, die verhindert, daß ich in diesen Abgrund hinein-
rase, in diesen seelischen Abgrund, in diese Erschütterung. Aber so
leicht bin ich trotzdem nicht fertig. Es ist das ein Hin und Her. Ich
kann mich dann nicht so schnell zur Botschaft hinwenden, daß ich
mir sage: »Du weißt's doch!« Sondern ich brauche einige Zeit.

Aber wahr ist, das gebe ich zu — deswegen rede ich ja von der ganzen
Sache jetzt, sonst müßte ich es als persönliches Erlebnis hinter mir
lassen, sonst hätte es gar keine pädagogische Bedeutung für unser

Gespräch — wahr ist, daß ich froh bin, von Herzen froh bin über die Botschaft.

Wenn ich aber nun herginge und würde irgend jemand fragen — also, Herr Bultmann würde mich ja heimschicken, denn der würde so eine Frage nicht zulassen —: »Ja, ist denn die Botschaft auch begründet?« Ich finde, dafür (sc. für die Begründung der Botschaft) habe ich in diesem Augenblick keine Verantwortung. Ich lehne das ab.

Nicht wahr, ich habe auch mal geheiratet. Bevor wir heirateten, kannten wir einander und waren auch verlobt, wie sich's gehört. Und da kann ich doch nicht, wenn ich meine Frau küsse, jetzt auch gleich nach der Täuschung und der Realität fragen. Ich darf nicht einmal fragen: »Sag mal, hast du auch Grund, daß du mich küßt, oder habe ich Grund dafür?« Nicht wahr, das ist jetzt alles existential gedacht. Das gibt es nicht. Das ist die größte Beleidigung. Das würden Sie auch nicht tun.

Und nun frage ich natürlich zurück: Warum meinen Sie, daß ausgerechnet da, wo es um Gott selber geht, GOTT SELBER!, wir uns diese Rückfrage erlauben dürfen? Wenn mich Gott packt und in diesen Abgrund — der *Tod* ist der Abgrund, das hat Tillich falsch gemacht — ... mich in diesen Abgrund schmeißt, dann muß er es auch wieder sein, das ist wahr, der mich wieder heraufschnellt, falls ich nicht drunten bleibe. Wer garantiert denn dafür, daß ich meinen Verstand nicht bei so etwas verliere? Niemand! Und deswegen finde ich: Hier muß man wirklich — ich weiß nicht, ob das Wort »Wirklichkeit« so angebracht ist — aber da wird man wirklich von Gott zu Gott geschlagen. Das ist's! Mir erscheint es tatsächlich deplaziert, da noch Rückfragen stellen zu wollen. Das gibt es nicht! Und ich finde, das hat auch das Neue Testament nur gelegentlich, in der Polemik etwa, gemacht. Aber dort, wo es nun wirklich darauf ankam, da machen sie doch tatsächlich von Gott *Gebrauch*. Gott, Christus, das *ist* unser Sakrament! Und ein Sakrament, von dem man nicht Gebrauch macht, das ist kein Sakrament. Das steht fest.

Wissen Sie, ich möchte so schrecklich gern zu Ihnen sagen: »Einig! Also, das erste ist — logisch gesehen — die Wirklichkeit. Und das zweite ist der Nutzen, den man davon hat.« Nicht wahr, das ist rein logisch jetzt, kalt, frostkalt ausgedrückt. Das hat Luther auch mal gemacht: Was ist das? Was nützt das? Schon recht. Rein logisch würde ich dann meinen: Warum soll man das nicht so machen, wie Sie es sagen? Da ist nun wirklich so viel passiert, daß sogar diese Leute wie der Jakobus und der Simon Petrus und sogar der Paulus beteiligt sind und nicht lügen, wenn sie sagen: »Der Herr ist mir erschienen«,

»ich habe ihn gesehen.« Meinen Sie, das bestreite ich? Fällt mir gar nicht ein. Das glaube ich, was heißt: das glaube ich — ich kann doch *lesen!* Aber was mir nicht paßt, ist dieses, daß man überhaupt in dieser Sache nach der logischen Reihenfolge verfährt. Verstehen Sie? *Sie sind nämlich der Philosoph, nicht ich!*
Lachen in der Gemeinde.
Fuchs: Das ist jetzt natürlich ein bißchen herb. Aber, nicht wahr, ich darf das doch so sagen? Sie nennen mich ja fröhlich auch einen Philosophen.
Künneth: Ja, natürlich, richtig!
Fuchs: Ich würde nur sagen: Einen schlechten Philosophen dürfen Sie mich nennen, keinen guten, ein guter will ich nicht sein.
Künneth: Selbstverständlich! Das ist ja kein Vorwurf: Philosophie. Es kann ja eine gute Philosophie sein, nicht?
Fuchs: Also, das meine ich halt, verstehen Sie, weil Sie an dieser Stelle ein logisches Interesse haben.
Künneth: Ja, ja.
Fuchs: Das ist nicht mein Einwand gegen die Wirklichkeit, die Sie nennen wollen, verstehen Sie, Herr Künneth? Wenn Sie das doch verstünden! »Pneumatisch-leibhaft« ist nicht gerade gut ausgedrückt, finde ich. Aber das kann man sagen, wenn man weiß, was Sie meinen. Und das kann man sehr wohl erkennen. Warum sollen Sie nicht die besondere Wirklichkeit Gottes, um die es sich hier handelt, die aber dann doch die verborgene, eine, tiefe Wirklichkeit Gottes ist . . .

(Kurze Tonbandunterbrechung)

Um das noch einmal ganz klar zu sagen: Sehen Sie, Herr Künneth, es liegt mir wirklich nicht das geringste daran, das, was Sie schöpferische oder des Schöpfers neue Wirklichkeit nennen, was da in Jesus selber epiphan geworden, zur Erscheinung gekommen ist, vielleicht auch im leeren Grab, in irgendeiner Weise zu bestreiten. Das leere Grab paßt mir bloß deshalb nicht, weil ich nicht haben will, daß meine archäologischen Kollegen sich auch noch einmischen. Das ist eigentlich mein ganzes Argument. Ich will die Kerle nicht sehen, wenn sich's um den Glauben dreht. Ich kann die Archäologie in der Theologie nicht leiden.
Lachen in der Gemeinde.
Fuchs: Aber das ist recht subjektiv. Als Argument kann man das nicht verwenden.
Also, alles das konzediert. Darum geht's! Aber wenn's darum geht,

verstehe ich Sie einfach nicht, warum Sie da diesen logischen Regreß brauchen. Das verstehe ich nicht!
Wenn Sie nun sagen: »Illusion«, sage ich: »Ach du liebe Zeit!« Denken Sie noch einmal an die Geschichte mit dem Kuß: Ich kann doch nicht zu meiner Frau ... Daß ich sie küsse, weiß ich. Und wenn sie sagt: »Illusion«, dann küsse ich sie gleich noch einmal.
Lautes und langes Lachen in der Gemeinde.
Fuchs: Das ist wenigstens verständlich! Ich meine, die Leute sitzen da (sc. in der Kirche) herum und haben keine Ahnung und meinen: »Spezialtheologie« und denken, das sind tiefe Geheimnisse. Das ist gar nicht wahr.

d) Wo Liebe ist, da ist Gott (Fuchs)

Darf ich das auch schnell noch sagen: Die Analogie zwischen der Liebe, Christus, dem Honig und den Bienen habe ich natürlich so gemeint: *Ich* meine also wirklich — und da bin ich nicht Ihrer Meinung — daß Liebe qua Phänomen, wo immer sie Liebe ist, egal in welcher Form, in ihrer *Qualität* Gottes Wirklichkeit ist. Deshalb haben diejenigen, die lieben, eine große Verheißung, auch wenn sie es nicht wissen. Und wenn das nicht in dieser Welt eingelöst wird, dann wird es in jener Welt, Herr Künneth, eingelöst! Das ist mein Hauptgrund für die Eschatologie, wenn Sie's wissen wollen. Das ist meine Meinung. Und ich finde, daß das ganz und gar mit dem Verhalten und Auftreten Jesu und der Apostel und aller miteinander zusammenhängt. Wenn etwa ein Perser es wirklich mit Liebe zu tun hat — das braucht er gar nicht zu wissen; das ist nun wirklich eine faktische Angelegenheit —, dann hat er es auch mit Christus zu tun, ob er's weiß oder nicht. Wenn ich ihm Jesus Christus richtig sage, wird er das sofort kapieren. Das liegt lediglich an unserer Verkündigung, ob er das annimmt oder ob er das nicht annimmt, wobei natürlich die Prämisse eben die ist, daß er es tatsächlich mit Liebe zu tun hat. Das ist natürlich die Prämisse. Im andern Fall ist's aus. Aber wenn er es mit Liebe zu tun hat, dann versteht er das. Das ist meine Meinung. Da würde Barth sagen, ich hätte eine handfeste natürliche Theologie. In früheren Stadien hätte er das sagen können. Und ich würde antworten, daß er dann selber nicht weiß, was natürliche Theologie ist. Das bestreite ich.
Aber dieses alles sei noch zum Wirklichkeitsbegriff gesagt. Es hilft nichts. Wir müssen darüber reden.

Künneth: Ja, Herr Kollege Fuchs, Sie haben sehr vieles, für uns ja Bedeutungsvolles, gesagt. Ich darf beim letzten noch einmal angreifen, bei dem Begriff der Agape, der Liebe. Wenn ich Sie recht verstanden habe, sagen Sie, daß an und für sich überall in der Welt, wo echte Liebe existent wird, eigentlich Christus da ist.

Fuchs: Ja.

Künneth: Da würde ich sagen: Richtig daran ist, daß überall in der Welt Gott wirkt, selbstverständlich, auch in natürlichen Gaben, auch im Somatischen, im Psychischen, auch im Erotischen. Da wirkt Gott. Da ist Gott der Schöpfer am Werk.

Aber dies alles ist nicht gleichzusetzen mit der Agape des Neuen Testaments. Wenn das nämlich der Fall wäre, dann muß ich in der Tat sagen wie auch die Missionare: »Liebe Freunde, das, was ich euch sage, wißt ihr eigentlich schon. Ich gebe euch nur einen neuen Namen dafür. Ihr habt immer so und so gelebt und euch so und so betätigt, und eure Liebe ist ernst zu nehmen, und der Name dafür ist Christus.« Da würden die anderen sagen: »Na ja, das ist ein Streit um Worte!«

Fuchs: Nein, Herr Künneth, Moment einmal! Daß wir uns recht verstehen! Das dürfen Sie natürlich nicht sagen, sondern die Missionare müssen dann sagen, nachdem sie so angefangen haben wie etwa Acta 17: »Nun will ich euch sagen, warum ich mit euch rede. Ich rede mit euch, weil ihr nämlich gerade um dieser Wahrheit willen verzweifelte Menschen seid, die verzweifelt leben. Und nun verkündige ich euch Christus als das Ende jeglicher Verzweiflung.«

Natürlich schafft er (Christus) die Hoffnung, daß das dann von Gott· bereinigt wird, weil's der Mensch, trotz Missionar und mit Missionar, nicht bereinigen kann. Das weiß ja gerade der Missionar: Der Mensch kann es nicht. Aber wir sollen jetzt in Geduld und Freudigkeit hören, was der sagt, und sollen dann warten, wie Gott da eingreift. Das soll er sagen. Das ist etwas ganz anderes. Dann können die anderen natürlich auch sagen: »Ja, ja, das haben wir auch schon mal gehört.« Aber dann würde ich sagen: »Gut, Missionar, laß dich nicht irreführen, wenn sie's schon gehört haben — um so besser!« Das ist eine rein praktische Angelegenheit. Das Praktische ist da von A bis Z ausschlaggebend. Und der Jüngste Tag, mit allem, was da kommt, ist wiederum — das würde ich hier unbedingt sagen — eine rein praktische Angelegenheit.

Künneth: Ja, ja, aber die »rein praktische Angelegenheit« setzt zweifellos eine Botschaft, eine Erkenntnis voraus — um das noch einmal klar zu machen, nicht wahr!

Fuchs: Umgekehrt, umgekehrt! Die Botschaft ergeht, weil die praktische Angelegenheit die Prämisse ist.

Künneth: Aha, aha! Das ist natürlich eine gefährliche Sache, nicht?

Fuchs: Du kannst doch nicht, man kann doch nicht, Herr Künneth, Gott den Schöpfer von Gott dem Erlöser und Versöhner trennen. Das tue ich nicht[8].

Künneth: Ich auch nicht!

Fuchs: Ich rede vom Dreieinigen Gott an dieser Stelle, nicht bloß von Christus, *wenn* ich schon dogmatisch reden muß. Ich rede bloß nicht gern dogmatisch. Das gebe ich zu.

Künneth: Darf ich das eben noch einmal sagen: Wenn Sie die Apostelgeschichte lesen, war die Situation doch die — und die scheint mir doch paradigmatisch fürs ganze zu sein —, daß es da heißt: »Ich verkündige euch das Evangelium, daß ihr euch bekehrt von diesem falschen zu dem lebendigen Gott.« Steht doch da, ja?

Fuchs: Ja.

Künneth: Falsch, das heißt doch: »Ihr habt zwar alle möglichen Dinge und guten Gaben von dem Dreieinigen Gott — jetzt in dieser Sprache geredet — bekommen. Das habt Ihr bekommen, aber Ihr habt das ganze nicht verstanden. Ihr habt's pervertiert.«

Fuchs: Ja.

Künneth: »Und jetzt verkündige ich Euch das Eigentliche.«

Fuchs: Sehr richtig!

Künneth: So heißt es doch?

Fuchs: Ja, natürlich!

Künneth: Dann aber, wenn das wahr ist, dann können Sie aber nicht mehr die These aufrechterhalten, daß die Agape überall schon da ist. Nein, sie wird verkündigt als etwas Neues, wenn schon die Agape ein Bild des Christus ist.

Fuchs: Herr Künneth, das *ist* ein Streit um Worte jetzt vielleicht, fürchte ich. *Natürlich* ist die Agape pervertiert. Und natürlich: Wenn man die Leute fragt, die sie (sc. die Agape) pervertieren: »Wo ist denn die Agape«, dann kann man in Teufels Küche kommen. Das ist klar, nicht? Die Illustrierte zeigt's einem ja jeden Tag. Aber darum kümmere ich mich nicht. Sondern ich sage: »Ich rede jetzt im Namen dessen, was Ihr schuldhaft pervertiert habt. Folglich habt ihr doch eine Ahnung davon, was da passiert ist.« Nicht wahr, das meine ich. Das *muß* ich doch sagen können. Das müssen Sie doch zugeben. Das ist doch gar nicht gegen Ihr Interesse.

e) Die Reflexion auf die Auferstehung als Fundament der Verkündigung ist unverzichtbar (Künneth)

Künneth: Ja, also, das wäre natürlich wieder ein Thema für sich. Ich möchte aber wieder zu dem Zentralen zurücklenken! Sie haben auf meine Frage geantwortet, und die Antwort darauf ist eigentlich erstaunlich, indem Sie sagen: »Ich kann an die ›neue Wirklichkeit‹ — so ungefähr in meinem Sinn — eigentlich unbefangen glauben.«
Fuchs: Ja, natürlich! Die kenne ich schon lang!
Künneth: Nicht wahr, ». . . die kenne ich schon lange. Ist gar kein Problem, eine Wirklichkeit, die mir irgendwie einleuchtet, also eine gewisse Selbstverständlichkeit.«
Fuchs: Für *mich!*
Künneth: »Aber von Selbstverständlichkeiten redet man nicht . . .«
So ungefähr ist es doch?
Fuchs: Für *mich* ja!
Künneth: Dazu würde ich folgendes sagen: Wenn Sie recht hätten mit dieser These, dann müßte das Neue Testament ganz anders geschrieben sein. Ganz anders! Paulus und auch die anderen Evangelisten und Apostel und die verschiedenen Schriftsteller der Briefe sind offenbar nicht der Meinung, daß es eine Selbstverständlichkeit sei, über die man schweigen könne oder die man nicht explizieren, entfalten dürfe oder könne. Sondern sie sind genau der anderen Meinung, daß es sich hier bei der Auferstehungsbotschaft um Tod und Leben handelt, um Rettung oder Untergang, daß hier alles auf dem Spiel steht. Also gar keine Selbstverständlichkeit.
Darum muß ich auch Ihre Formulierung, die philosophisch klingende Formulierung »Keine logische Reihenfolge aufzeigen!«, für ganz falsch halten. Es geht ja gar nicht um eine logische Reihenfolge, sondern es ist hier einfach die Frage: Was ist — ich frage noch einmal — die Urvoraussetzung, die Prämisse, das Fundament, von dem aus überhaupt Verkündigung da ist, Kirche da ist, Mission da ist, der Glaube des einzelnen da ist? Das ist nicht eine Größe in einer logischen Reihenfolge, sondern die Auferstehung Jesu, das ist die — ich würde jetzt sagen — die Selbstsetzung Gottes im Raume der Geschichte. »Einen andern Grund kann niemand legen außer dem, der gelegt ist, welcher ist Jesus Christus.« Das meine ich. Und da haben Sie natürlich recht: Eine Begründung dafür, warum Gott diesen Grund gelegt hat und warum der Grund so aussieht, ist natürlich nicht erlaubt. Hier geht es um ein Axiom. Aber die Verkündigung, der Glaube, muß doch ständig darauf reflektieren, eben auf diese Wirklichkeit. Diese Wirklichkeit

ist so existentiell wichtig, daß bei einem Erlebnis eines Unfalls, einer solchen schrecklichen Situation, natürlich die Anfechtung des Glaubens in irgendeiner Weise lebendig wird. Wie überhaupt angesichts des Todes immer eine unerhörte Erschütterung beim Menschen ausgelöst wird. Das ist klar!
Aber gerade jetzt kann es nur *eine* Lösung geben. Ertragen kann ich das Leidschicksal dieser Welt überhaupt nur, damit fertig werden kann ich überhaupt nur, wenn ich weiß, daß das nicht das Letzte ist, sondern daß der Tod überwunden ist. »Der Tod ist verschlungen in den Sieg!« Daß Christus, der Lebendige, da ist, das wäre jetzt nicht die Antwort von vor 2000 Jahren, sondern das ist die Wirklichkeit, die mich heute überwältigt und betrifft.
Ich muß aber hier in diesem Zusammenhang noch folgendes sagen: Sie meinten, eine Rückfrage sei im Blick auf diese Voraussetzung nicht erlaubt. Ja, warum soll die nicht erlaubt sein? Auf jeden Fall wird im Neuen Testament diese Rückfrage ständig vollzogen. Ständig wird da doch davon geredet, was Gott ist und was Gott will und was Gott sagt und was Gott tut und getan hat. Die großen Taten Gottes sollen gerühmt werden. Das ist doch ständig der Hinweis *nicht* auf meine Gläubigkeit, sondern ein Hinweis wiederum auf die grundlegenden, vorausgegebenen Heilsereignisse. Und das ist doch das Entscheidende.
Und noch eins, Herr Kollege Fuchs. Sehen Sie, das erste, was Sie sagten, schien so positiv zu sein, und man könnte eigentlich sagen: »Ja, also dann sind wir uns eigentlich im Wesentlichen einig betreffs der Wirklichkeit.« — Ich würde Sie nun folgendes bitten, mir klarzumachen: Wenn es richtig ist, daß Sie sagen: »Jawohl, die Wirklichkeit der Auferstehung bestreite ich nicht; sie ist für mich selbstverständlich und nicht Gegenstand einer Reflexion«, dann müssen Sie daraus auch gewisse Konsequenzen ziehen. Und zwar welche? Wieder eine Frage, die mir ungeheuer wichtig erscheint: Können Sie sagen, »Auferstehung Jesu ist ein wirkliches Ereignis, wirklich ein Geschehen, das sich in einer bestimmten Zeit vor bestimmten Menschen an bestimmten Orten zugetragen hat, ein Ereignis, das die ganze Situation völlig verändert hat, eine Zäsur bedeutet und daß von da aus überhaupt erst das Neue Testament entstehen konnte?« Wenn Sie das aber zugeben, dann können Sie nicht in der Form von chiffreartigen Ausdrücken über die Auferstehung reden.
Fuchs: Hm, hm.

4. Gefährliche Chiffren und Zitate in Büchern von E. Fuchs

Künneth: Und das tun Sie ja, das tun Sie! Ich könnte Ihnen jetzt eine ganze Reihe von solchen Chiffren sagen. Ich möchte Sie aber nicht damit langweilen, weil Sie das ja nun besser wissen als ich, was Sie geschrieben haben. Nicht wahr, wenn Sie etwa sagen: »Die Auferstehung Jesu sei ein Ausdruck oder ein Name für den Anbruch der Heilszeit des Glaubens.« Oder: »... ein Name für die Allgemeingültigkeit der Botschaft.« Oder: »Die Sache Jesu wird weitergetrieben.« Oder: »Die Botschaft Jesu wird von der Gemeinde übernommen.« Oder: »Ein Name für Vergegenwärtigung.«[9] Und nun könnte ich noch eine Fülle anderer oder ähnlicher Aussagen hier zitieren. Oder: Sie schreiben »Auferstehung ist ein Name dafür, daß die Jünger nach dem Tode Jesu sich für die Stimme der Liebe entschieden haben, und zwar analog Jesu zur Geltung bringen wollen.« Oder: »Auferstehung, ein Name für einen Glaubensanstoß, für eine Besinnung des Glaubens.« Und da sagen Sie mit dem eindrucksvollen Beispiel, das sei doch etwa so, wie wenn die Klarheit oder die Tapferkeit eines Predigers eine Hilfe für den Glauben sein kann.

Fuchs: Ja.

Künneth: Und, so sagen Sie, wäre auch die Auferstehungsgeschichte vielleicht geeignet, zu einer Besinnung auf den Glauben zu gelangen.

Fuchs: Damals!

Künneth: Damals, damals, ja!

Fuchs: Für die Ereignisse damals!

Künneth: Es handelt sich um die Frage, ob ich in beliebiger Weise über diese Wirklichkeit der Auferstehung Jesu sprechen kann oder ob es nicht ganz bestimmte Aussagen sein müssen, wenn diese Wirklichkeit nicht verfälscht, nicht verdorben werden soll. Mit bloßen Chiffren, mit auswechselbaren Begriffen, die alles mögliche bedeuten, kann man diese Wirklichkeit der Auferstehung nicht umschreiben. Wird damit das eigentliche Anliegen des Neuen Testaments sachgemäß ausgedrückt? Ich muß Sie noch einmal fragen im Blick auf folgendes Zitat von Ihnen: »Glaube ist selbst ein Wunder und tut deshalb Wunderbares (vgl. 1. Kor. 14, 24).« Das würde ich zugeben. Nun fahren Sie aber fort: »Ja, der Glaube erhöht seinerseits den Gekreuzigten eben durch den Glauben, indem er sagt, was er von Gott weiß (vgl. Phil. 2, 9—11)«. Das ist mir schlechterdings unverständlich, denn in der angezeigten Stelle heißt es ja nicht, daß unser Glaube den Gekreuzigten erhöht, sondern *Gott* hat ihn erhöht. *Gott* hat ihm einen Namen gegeben. Das ist etwas ganz anderes. Sie denken vom Menschen her, vom Glauben her. Das Neue Testament denkt aber von der Tat Gottes her. Und dann sagen Sie noch: »Der Glaube ist deshalb auch an der Auferstehung des Gekreuzigten mitbeteiligt, weil er Jesus öffentlich als Herrn bekennt.« Oder an einer anderen Stelle sagen Sie noch: »Christus ist also der Herr, weil verkündigt wird, daß die Zeit des Glaubens kam.« Ich kann dazu nur sagen: Das ist genau das Gegenteil von dem, was das Neue Testament berichtet. Genau das Gegenteil! Der Glaube macht nicht die Auferstehung, ist auch nicht daran beteiligt, sondern der Glaube entsteht *durch* die Verkündigung der Auferstehung. Also, hier darf man Ursache und Wirkung nicht durcheinanderbringen. Also, der Glaube erhöht nicht Jesus. Nein! Und Christus ist nicht auferstanden, weil verkündigt wird, er sei der Herr, sondern weil er auferstanden ist, wird verkündigt, daß er der Herr ist. Nicht umgekehrt! Der Glaube entsteht, weil der Auferstandene da ist, weil er der Herr ist. Darum entsteht der Glaube.

Also, das bringe ich nicht in Einklang mit Ihrem Vorsatz, daß Sie sagen: Die Wirklichkeit wollen Sie nicht bestreiten. Ja, wenn Sie sie nicht bestreiten, dürfen Sie *so* nicht formulieren. Denn damit wird die Sache selber doch radikal verdorben.

Fuchs: Also, Herr Künneth, das, was Sie jetzt zuletzt gesagt haben, ist wahrscheinlich — jedenfalls zwischen uns beiden — der Hauptstreitpunkt. Und wer das in der Form oder in der Art, wie Sie es meinen auffassen zu müssen, hört, wird natürlich auch entsetzt sein. Denn dann hätte ich ja, *wenn* das richtig wäre, was Sie sagen, dann hätte ich ja sagen wollen: Na ja, die Auferstehung Jesu Christi ist ein Produkt des Glaubens, nicht?

Künneth: Ja, so scheint es wenigstens dem Wortlaut nach zu sein.

Fuchs: Natürlich, so *müssen* Sie auch denken. Sehen Sie, das ist das Schlimme, daß Sie hier eine Alternative formulieren müssen: Entweder ist die Auferstehung Jesu Christi causa, und das andere ist dann die Folge, nämlich der Glaube; oder der Glaube ist — wie es nach meiner Formulierung scheint — causa, und das andere, die Auferstehung Jesu Christi, ist dann die Folge.

Stimme aus der Gemeinde: Etwas lauter!

Fuchs: Ich bin grad hart angeklagt! Ich kann nicht so laut reden. Ich muß jetzt ein bißchen vorsichtig sein, weil das nämlich jetzt gerade tatsächlich der heikle Punkt ist.

Nicht wahr, die Sache ist so: Ich käme mir ja wirklich als ein — im Schwäbischen hat's da Ausdrücke dafür — als ein Narr erster Klasse vor, wenn das meine Meinung wäre. Da wäre ja der Arius noch Gold wert!

Künneth: Richtig, ganz richtig!
Lachen in der Gemeinde.
Fuchs: So bescheiden bin ich nicht, daß ich so wenig Selbstachtung vor mir selber hätte, daß ich mir einen derartigen Gedankengang als *theologischen* Gedankengang zumuten könnte. Denn dann wäre es wirklich gescheiter, aus der Theologie auszuscheiden und gar nicht mehr mitzumachen. Das ist doch ganz klar. Also war das auch niemals meine Meinung!
Lachen in der Gemeinde.
Fuchs: Aber was ist dann meine Meinung?
Künneth: Ja, das möchte ich jetzt gern wissen.
Lachen in der Gemeinde.

5. Wenn Gott schafft, darf der Mensch im Glauben mitschaffen (Fuchs)

Fuchs: Bitte, das ist nicht sehr lustig. Ich weiß nicht, wer unter Ihnen hier überhaupt noch in der Lage ist, sozusagen mitzusorgen. Man muß mitsorgen.
Ich behaupte nämlich — und das ist die formale Prämisse zu allen solchen Aussagen —, daß man eben das Bekenntnis zu der Auferstehung Jesu Christi (vgl. etwa Phil. 2, 9—11) nicht wahrhaft aussprechen kann — und das ist eben nun das Peinliche, das ist eine Synekdoche —, ohne sie *mitzuvollziehen!* Natürlich hat Gott ihn auferweckt und erhöht. Selbstverständlich! Aber deshalb verstehen so viele Menschen nichts vom Geheimnis Gottes, von der wahren Wirklichkeit Gottes, weil sie nämlich nicht merken, daß, wenn Gott schafft, der Mensch dann mitschaffen darf! Freilich, nicht in dem Sinn, als ob ich der rechte Arm Gottes wäre und ohne mich Gott keinen rechten Arm hätte. Das ist natürlich nicht gemeint, so etwas Blödes! Sondern das Geheimnis — das ist es ja gerade, ich habe es schon einmal gesagt heute; da kommt so ein normaler Verstand natürlich nicht mit, soll auch gar nicht mitkommen, *muß* ich sagen! Der Verstand ist nämlich nicht kompetent für den Glauben. Das dürfen Sie nicht meinen, sondern in Wahrheit ist Gott kompetent für den Glauben. Hierum dreht's sich, wenn wir Verkündiger sein wollen, und zwar Verkündiger des Evangeliums! Selbstverständlich! Es dreht sich darum, daß es Gott gefällt — ich bin ja nicht Systematiker, ich muß nicht alles ausbrüten, was da gesagt werden muß; wenn es Gott anders gefällt, dann gefällt es ihm anders —, aber es *hat* ihm nun einmal so gefallen, *so* Gott zu sein, daß er, wenn er etwas tut, uns

wirklich dabei haben will. Und wenn er Jesus, seinen Sohn, rühmen will, dann sollen wir ihn und müssen wir ihn auch rühmen. Da sind wir dabei, wenn da gesungen wird im Himmel und auf der Erde und überall. Da singen wir auch mit. Und dieses Erhöhen Jesu Christi ist nicht so, daß Gott ihn »lupft« und dann fangen alle an zu singen. Das kann man nicht trennen. Sondern wenn Gott ihn »lupft« — das ist jetzt halt Schwäbisch, ich kann auch nichts für . . .

Künneth: Das ist keine Häresie!

Fuchs: hyperhypsoun (Phil. 2, 9) heißt: 'nauflupfen über alle andern, daß sie ihn sehen und wissen, der ist's und nicht sie, nicht die Eitelkeiten. Und nun ist es so, daß, wenn Gott einen so erhebt, daß dann in eins damit zusammengehört — und zwar mit Notwendigkeit; deswegen ist es auch ein eschatologischer Akt, das wird ja schon vom Stil *(proskynein)* her klar —, daß also dieses Singen mit dazugehört. Das geht nicht in der Stille vor sich.

Nicht wahr, das ist, wenn Sie so wollen, durchweg meine These in allen meinen Aussagen: Ich kann nicht von der Auferstehung Jesu Christi reden ohne den Glaubensvollzug! Natürlich meinen Sie dann — müssen Sie auch meinen nach Ihrer Art und Logik, wie Sie sie haben; ich verstehe das, Sie haben das ja nicht erfunden —, daß dann die Sache so aussieht, als sei sozusagen die Katze von ihrem Schwanz abhängig, also das, was vorn ist, von dem abhängig, was nachher kommt. Ich bin nicht systematisch gebildet. Man kann das auch logisch ausdrücken, formal auch. Ich kann das eben nicht.

Also, was ich gegen euch, wirklich gegen euch habe — ich meine jetzt das Systematikerbündel —, daß ihr andauernd von der Tat Gottes redet. Und das ist die Strafe dafür. Natürlich redet das Neue Testament auch von der Tat Gottes. Das ist wahr. Aber was immer dabei fehlt und was wir nicht verstehen, weil wir vom Alten Testament zu wenig verstehen, ist dies: daß dieses »Gott hat getan«, »Gott hat ihn auferweckt am dritten Tag«, daß das immer dasjenige Wort Gottes zugleich ist, das mitgesprochen, das geglaubt wird, das nicht allein bleibt. Gott handelt nicht einsam, wie Adenauer einsam gehandelt hat.

Lachen in der Gemeinde.

Fuchs: Nicht einsame Beschlüsse macht er. Das bestreite ich. Und nun ist diese Synekdoche — oder wie man es nennen will; das ist ja keine communicatio idomatum, aber etwas Ähnliches — mitzuhören und mitzuberücksichtigen. Das darf keinen Augenblick vergessen werden. Man muß wirklich sagen: Es handelt sich um das Wort Gottes. Das Wort Gottes setzt nicht aus, es intermittiert nicht, es macht keine Pausen. Gott ist immer dran, auch wenn wir ihn nicht hören. Aber wenn wir ihn hören und wenn wir sein Wort sagen, wenn wir von seiner Tat reden, dann ist auch sein Wort da. Und weil sein Wort da ist, sind wir in dem nicht bloß »engagiert«. Das ist mir einfach zu wenig. So ist das.

Wenn Sie sagen, der Glaube sei »konsekutiv« gegenüber der Offenbarung, so würde ich das eigentlich auch gern sagen, aber ich kann es von Ihren logischen Prämissen her so schlecht sagen, weil ich diese Alternativen nicht mag, von denen ich vorher geredet habe. Man kann eigentlich auch nicht sagen: Der Heilige Geist ist »konsekutiv« in bezug auf die erste und zweite Person. Nicht wahr, das kann man nicht sagen. Das ist eine processio des Heiligen Geistes, so etwas Ähnliches wie etwas Konsekutives. Das ist wahr. Gäbe es den Vater und den Sohn nicht in ihrer Gemeinschaft, so ginge der Geist daraus nicht hervor. Da ist ein gewisser Unterschied. Man redet nicht umsonst zuerst vom Vater und vom Sohn und hernach vom Geist. Nicht wahr, das hat schon seine Ordnung. Aber das Wort »konsekutiv« ist so unangenehm in diesem Zusammenhang.

Also, ich finde, ich bin jetzt im Augenblick ein bißchen ratlos, weil ich das, was ich da vorhin »Synekdoche« genannt habe, in seiner wahren Erbaulichkeit nicht klar machen kann.

Künneth: Das ist schon klar.

Fuchs: Nein, die hätten das spüren müssen. Sehen Sie, das Publikum hier — ich kann jetzt im Augenblick nichts anderes sagen, denn es war im Augenblick keine Gemeinde — hätte nicht lachen dürfen in dem Augenblick dort (sc. wo es um das Beieinander von Glaube und Auferstehung ging). Doch, das muß ich schon sagen. Sie haben mich ja nicht ausgelacht, so meine ich das nicht. Sie haben sich halt einfach eine Pause gegönnt in einem Augenblick, wo jede Kraftanstrengung notwendig war, damit nicht alles verschütt geht. Sie mußten mitsorgen. Natürlich können Sie mitsorgen in vielen Dingen, und Sie machen's sicher oft auch recht. Was ein theologisches Gespräch ist, zeigt sich dann als reif und hörbar, wenn herauskommt, wann die Passagen oder die Stellen kommen, wo man nun wirklich mitsorgen muß. Das ist es. Dann haben wir plötzlich auch viel mehr Zeit. Das ist auch wahr. Aber, entschuldigen Sie, ich weiß nicht, ob ich es einigermaßen deutlich gemacht habe.

Künneth: Doch, doch! Ich bin sehr dankbar. — Herr Vorsitzender, wieviel Zeit haben wir noch?

Tagungsleiter: Eigentlich noch eine viertel Stunde.

Künneth: Nur noch eine viertel Stunde? Na ja, das ist nicht viel. Aber ich bin sehr dankbar, Herr Kollege Fuchs, daß Sie auch die

Meinung haben, daß wir hier an dem eigentlichen Angelpunkt angelangt sind.

Fuchs: Natürlich!

Künneth: Selbstverständlich, das habe ich wiederholt schon gesagt, geschieht Offenbarung und Auferstehung nicht so, als ob der Glaube nicht irgendwie gerufen würde, erweckt werden soll.

Fuchs: Hm.

Künneth: Das ist klar. Das ganze Neue Testament ist ja das große Zeugnis davon: Glaubt an diesen Kyrios, an diesen Herrn. Aber, Herr Kollege Fuchs, an diesem Punkt hängt, glaube ich, tatsächlich alles, ob man sagen kann: Dieses Ereignis der Auferstehung kann nicht ohne Glauben ausgesprochen werden, oder die Auferstehung ist vom Glauben abhängig. Sehr subtil müssen wir hier zusehen!

Fuchs: Gut.

Künneth: Die Zeugen, die sagten, er sei auferstanden, waren Glaubende. Sie sprachen im Glauben: »*ophtä*, er ist auferstanden, ich habe ihn gesehen!« Natürlich glauben sie. Aber das, was auf sie zugekommen ist, das geschah in Überwältigung ihres Unglaubens, ihrer Verzweiflung, ihrer Trostlosigkeit und Trauer. Und auf diese Wirklichkeit, daß etwas da ist extra nos, extra me, außerhalb von meinen Möglichkeiten als Mensch — sehen Sie, ich muß es, rein sachlich, ganz hart sagen —, damit steht und fällt die Theologie. Damit steht und fällt die kirchliche Verkündigung, ob es diese Wirklichkeit »vor« und »außerhalb« des Glaubens gibt. Natürlich haben Sie dann recht, wenn Sie sagen: Das wird nicht photographiert. Das wird nicht gegenständlich. Sie haben ja alle mitsamt Ihren Freunden eine schreckliche Angst vor den Tatsachen und den Tatbeständen und Faktizitäten usw. Das mögen Sie nicht gern hören. Aber ich darf das mal rein zur Information sagen: Es wird hier nämlich etwas verwechselt: Es wird verwechselt das Gegenständliche und Objektivierbare mit dem, was eine Wirklichkeit sein kann, die nicht objektivierbar ist. Also, die Wirklichkeit der Auferstehung ist nicht objektivierbar, nicht photographierbar, aber doch ein Faktum.

Fuchs: Was?

Künneth: Nicht objektivierbar.

Fuchs: Woher wissen Sie das?

Künneth: Das weiß ich aus dem Neuen Testament.

Fuchs: Gott kann sie nachliefern, die Photographie, mein Lieber, wenn sein Tag kommt . . .

Künneth: Wie kommen Sie denn dazu, Gott zu fragen, er möchte eine Photographie über die Auferstehung liefern?

Fuchs: Ich frage ihn doch nicht. Sie verstehen mich falsch. Verzeihen Sie, ich hätte Sie nicht unterbrechen sollen.

Künneth: Ja, ich glaube, das führt jetzt abseits.

Daran hängt für mich in der Tat alles, ob es um eine Glauben erweckende Tat geht als Vorgegebenheit für die Entstehung des Glaubens. Ich glaube, das ist ganz deutlich ausgesagt. Das muß jeder verstehen. Daß durch die Bezeugung von Gottes Tat der Glaube erweckt wird, gerufen wird, gefordert wird, das ist das ganze weitere Thema des Neuen Testaments.

Aber dann noch eines, verehrter Herr Kollege. Sehen Sie, Sie sagen: »Ja, natürlich, wenn Sie diese Zitate (nämlich aus Büchern von Professor Fuchs) so nehmen, dann kriegt man Angst und Schrekken. Selbstverständlich, so darf ich nicht interpretiert werden.« Ja, gut, das hören wir gern. Ich würde nur sagen: Das hätten Sie nie so schreiben dürfen, daß der Glaube seinerseits den Gekreuzigten erhöht. Da hätten Sie mindestens in der Fußnote sagen müssen: »Herhören! Für die Gegenseite oder für die Dummen: Es darf ja nicht so mißverstanden werden, als ob der Glaube die Auferstehung macht!« Das haben Sie natürlich nicht getan. Ich sag's ja nur scherzhaft. Aber mit allem Ernst ist zu sagen: Der Glaube erhöht nicht den Gekreuzigten, in gar keiner Weise. Er ist mitbeteiligt an der Bezeugung, an der Verkündigung, am Weitertragen. Da ist der Glaube beteiligt.

Sehen Sie, ich weiß wohl, Sie werden sagen: »Ja, Zitate aus dem Zusammenhang zu reißen, das ist nicht schön usw.« Aber trotzdem sind das eben Dinge, die mich bewegen und die mich aufregen.

Fuchs: Na ja, sonst würden Sie es ja nicht zitieren.

6. Noch ein gefährliches Zitat

Künneth: Ja, ich darf doch noch einmal ein Zitat bringen. Da schreiben Sie: »In Wahrheit muß doch wohl behauptet werden« — dann ist das doch wohl Ihre Meinung —, »daß der Glaube sowohl Jesu Hinrichtung als auch das Bekenntnis zu seiner Erhöhung bzw. Auferweckung gar nichts angeht.« Also, das haben Sie geschrieben[10]. Nun können Sie sagen: »Ja, das würde ich heute nicht mehr so sagen.«

Fuchs: Nein, nein, nein! Natürlich sage ich das jederzeit so!

Künneth: Ausgezeichnet!

Fuchs: Aber bitte sehr, Herr Künneth

Künneth: Aber das ist doch richtig, nicht?

Fuchs: Natürlich, muß ich ja sagen!

Künneth: Ja, ich meine, ich habe doch richtig zitiert?

Fuchs: Aber, lieber Herr Künneth, natürlich! Ach, es ist ja furchtbar, wie wir aneinander vorbeireden! Sie verstehen es nicht, und zwar deshalb nicht ... Aber ich will eine Hilfe geben, wenn Sie erlauben. Sie haben es ja auch zitiert, nicht? Also: Weil er (sc. der Glaube) *erfüllt* ist davon! Wenn der Glaube erfüllt ist vom Kreuz Jesu Christi, wenn der Glaube erfüllt ist von der Präsenz seines Herrn, was braucht er da noch dogmatisch zu reden? Was braucht er da noch von Distanz zu sprechen? Das ist ja unnötig. Es gibt doch auch die Selbstvergessenheit des Kindes — als Analogie, nicht wahr? —, das sozusagen im Spiel oder in der Familie oder sonst wo drin ist.

7. a) Das Nacheinander der Heilstatsachen in der juristischen Argumentation von W. Künneth

Wo wir auseinandergehen, das wird mir durch dieses Gespräch immer klarer: Der Glaube, so wie Sie von ihm reden, das ist juristische Denkweise. Natürlich meinen Sie es auch wieder nicht so, aber so redet man *juristisch* vom Glauben. Sehen Sie, so muß man auch juristisch von ihm reden. Ich wüßte gar nicht, wie es der Jurist anders machen könnte. Nicht wahr, da dreht's sich um Tatsachenerweis und -beweis und was weiß ich. Das kann man modifizieren usw. usw. Und ich, für meinen Teil, finde: Das Neue Testament tut das nicht. Das stimmt nicht. Das gebe ich nicht zu. Und ich finde weiter, worüber wir also einfach nicht zusammenkommen, ist eben dies.

Und das war natürlich letztlich auch mit Recht gemeint, wenn Sie sagten, Sie wollten mal wissen, wie es nun bei der existentialen Theologie aussieht. Und ich muß sagen, ich hatte zuerst das Gefühl, ich will mich da ein bißchen distanzieren, weil ich mich hermeneutisch nicht auf eine Epoche der Bultmanntheologie festlegen muß. Das kann von mir niemand verlangen. Aber dieses Gespräch macht mir eigentlich die umgekehrte Neigung deutlich, daß ich die formale Struktur der existentialen Theologie jetzt erst recht festhalte. Und zwar nicht deshalb, Herr Künneth, weil ich nun meinerseits Ihnen so erwidern würde, daß ich sage: »Ihr ordo salutis oder irgend so etwas paßt mir nicht.« Das ist nicht meine Meinung. Ich glaube nicht, daß wir in der Praxis des christlichen Lebens so sehr weit auseinander sind, wie das jetzt aussieht. Wir reden ja auch von Theologie.

Nein, sondern anders: Ich finde, so wie Sie das machen ... Also, ich muß gerade so direkt reden, wie Sie es auch getan haben, nicht? Sie haben ja auch . . .

Künneth: Natürlich, bitte, bitte!

Fuchs: . . . meine Wäsche auch auf die Leine gehängt!

Lachen in der Gemeinde.

Fuchs: Nun, das durften Sie ruhig. Sie ist ja nicht aus schlechtem Stoff.

Und nun finde ich: So kann man nicht verkündigen! So kann man *nicht* verkündigen! Ich habe immer wieder das Gefühl gehabt, die ganze Zeit, während Sie redeten, daß Sie bloß dann recht hätten, wenn so ein neutestamentlicher Brief bei Paulus eben einfach ein dogmatisches Kolleg wäre mit §§ 1., 2., 3., 4., 5. usw. Nicht wahr, dann hätten Sie recht. Aber ich kann das nicht zugeben.

b) Das Beieinander von Glaube und Heil in der existentialen Theologie von E. Fuchs

In meinem Seminar ist es oft so, daß es eine sehr schwierige Frage ist, ob ein Brief ein Lehrbrief ist oder ein persönlicher Brief oder sonst etwas, weil es so durcheinander geht und weil es tatsächlich arg schwer auszusagen ist, wenn man den Formcharakter untersucht, was für eine Form von Schriftstück das nun sein soll. Und sehen Sie, dafür bin ich dankbar. Das Neue Testament redet anders. Und ich finde, es ist nun einmal so — das ist beim Unterricht so, und das ist bei der Predigt auch so —: Wir gehören als Verkündiger nicht auf die Seite von Informatoren, die über irgend etwas informieren, was irgendwann und irgendwo passiert ist, und die nun den Leuten das mitteilen, was in der Zeitung steht, und dann, vielleicht warmherzig, den Leuten sagen: »So, nun richtet euch gefälligst danach, oder es geht euch schlecht oder gut.« Nicht wahr, das ist primitiv jetzt von mir gesagt, aber es wird deutlich, daß ich mich dagegen wende. Ich sage: Das geht nicht! Sondern ich behaupte: Du kannst wirklich nur verkündigen, wenn Verkündigung und — ob Sie dann Zeugnis sagen oder nicht — der Verkündigte und die Hörenden, denen er verkündigt, alle miteinander sozusagen in einer Schüssel sind. Und ich finde, das ist das Wunder der Offenbarung, daß das so ist.

Ich würde nicht sagen, die Zeugen der Auferstehung waren Glaubende. Das sieht zwar in der Emmausgeschichte, könnte man sagen, so aus, sie seien zum Glauben gekommen. Aber das geht mir zu schnell. Ich würde meinen, sie sind erreicht von dem, was geschehen ist. Das ist wahr! Wann der Glaube da ist, ist eine Frage für sich. Das wird wahrscheinlich erst dann zu klären sein, wenn sie verkündigen, weil sie wirklich zu Zeugen berufen sind nach dieser Geschichte. Das ist wahr. Wenn sie das tun, haben sie den Glauben. Vorher nicht. D. h. der Glaube ist gar nicht gleich fertig. Nun dreht sich nämlich die ganze Geschichte merkwürdig herum, weil ich nun plötzlich behaupte, die Zeugen der Auferstehung seien weder einfach Verzweifelte noch Glaubende, sondern das sind normale Leute, die natürlich in irgendeinem Kontakt mit Jesus gestanden haben, aber denen das widerfahren ist. Ich würde doch — um ein Beispiel zu nennen — niemals sagen: Jakobus war verzweifelt. Ich würde aber auch nicht ohne weiteres sagen: Jakobus hat geglaubt. Da gab es lebhafte Auseinandersetzungen, und Paulus hätte ihm harte Vorwürfe machen können, dem Jakobus. Also so sieht das aus. Und nun, finde ich, muß man, weil ich nun gerade den Ereignischarakter so betone, *um des Glaubens* willen sagen, daß das alles trotzdem zusammengehört, weil Gott nicht haben will, daß auf der einen Seite ein Baum gepflanzt wird mit Früchten und auf der anderen Seite die sind, die's essen. Sondern, die, die's essen, sind *auf* dem Baum. Also, mehr kann ich im Augenblick nicht tun.

Künneth: Ja, also Herr Kollege, was Sie jetzt hier gesagt haben, zuletzt, hat mich in gar keiner Weise überzeugt.

Fuchs: Ja klar!

Künneth: Mir scheint es so, als ob Sie hier eigentlich an der entscheidenden Sache vorbeigegangen sind. Denn, noch einmal, sehen Sie, so können Sie doch einfach nicht formulieren: » . . . den Glauben geht das nichts an.« Und nun sagen Sie: Ja, wir dürfen nicht juristisch darüber reden usw.

Fest steht doch folgendes, daß das ganze Neue Testament expressis verbis, ausführlich, intensiv, geradeso redet, gerade den Glauben darauf gründet, gerade hier diese Relation »Glaube und Hinrichtung«, »Karfreitag — Ostern« in engstem Zusammenhang sieht. Ich meine, das ist doch das eigentliche Thema des Neues Testaments. Das kann man nicht bestreiten. Und ich würde im Gegensatz zu Ihrer Meinung sagen: Nur so kann man verkündigen! Natürlich ist eine Predigt und eine Verkündigung keine Dogmatik. Das meinen Sie auch nicht. Aber den Inhalt, die Sache des Karfreitags: »Christus ist für uns stellvertretend, als Sühneopfer, gestorben und um der Gerechtigkeit willen wieder auferstanden!« Ja, wenn wir das nicht verkündigen, dann hat die Kirche ihren Sinn verloren.

Fuchs: Ja klar. Wer bestreitet denn das?

Künneth: Ja, aber das ist doch genau das, was ich bei Ihnen angreife!

Fuchs: Nein, Herr Künneth, ich bitte Sie! Glauben ist doch nicht das gleiche Wort wie Verkündigen. Wenn ich vom Glauben rede und sage: Der Glaube als Glaube, der Glaube im Vollzug, ... der ist ja schon *drin.* Es ist doch ein Unterschied, ob ich glaube oder ob ich verkündige. Natürlich sage ich, Glaube und Verkündigung gehören zusammen in eine Schüssel. Das habe ich ja gesagt. Das ist auch wahr. Das ist eine sehr merkwürdige Aussage. Natürlich muß ich den Leuten sagen und verkündigen: »Christus ist auferstanden!«, »Er ist für euch gestorben!«

Künneth: Ja, dann ...

Fuchs: »Der Glaube kommt ...« Das ist auch wahr, Aber sehen Sie, wenn wir im Glauben sind, ist's, als wenn wir beim Essen sind. Da sind wir nicht mehr in der Küche. In der Verkündigung wird gekocht, und beim Glauben wird gegessen. Das meine ich.

Künneth: Aber dann können Sie niemals sagen, daß dieser Glaube, der — auch nach Ihrer Meinung jetzt — mit der Verkündigung zusammenhängt, was ich ja auch sage ..., aber Sie können niemals formulieren, daß dieser Glaube an diesen Heilswirklichkeiten nicht interessiert sei. Das können Sie nicht!

Tagungsleiter: Darf ich wohl bitten, daß wir das Gespräch hier jetzt abbrechen.

Fuchs: Ja, gerne, natürlich! Es ist ja auch klar, Herr Landessuperintendent, ungefähr, wie die Sache steht. Man kann den Punkt, an dem wir nicht einig geworden sind, auch schon fixieren. Vielleicht ist es dann ganz gut, wenn wir gerade an dem Punkt eine Pause machen oder einhalten, weil man dann weiß, was nun eigentlich im Augenblick in der Luft ist, und jetzt nicht weitergehen.

Künneth: Richtig!

Tagungsleiter: Es ist jetzt 13 Uhr. Bevor wir vom Lied 86 Vers 6 singen, wird Herr Pastor Hartig noch etwas wichtiges Technisches sagen.

Pastor Hartig: Verzeihen Sie, aber es muß ja gesagt sein. Es ist das ... es ist Geld, ja? Dies kostet hier alles sehr viel Geld. Wir haben keine Tagungsgebühr erhoben. Wir bitten jeden Teilnehmer, wenn es möglich ist, für diese Arbeit fünf Mark in irgendeinen Kollektenkasten zu tun oder irgendeinem von uns in die Hand zu geben. Wer nicht so viel aufbringen kann, der möge dann wenigstens drei Mark geben oder was. Aber wer mehr aufbringen kann, wen der liebe Gott gesegnet hat und viel Geld zur Verfügung hat, der möge entsprechend

mehr geben. Und ich bitte, daß ich auf diese Sache nicht mehr zurückzukommen brauche. Herzlichen Dank!
Tagungsleiter: Wir beginnen von neuem um 14.30 Uhr. Und jetzt
singen wir vom Lied 86 den 6. Vers: »Ich hang und bleib auch hangen an Christo als ein Glied.«

Gemeinde singt:
Ich hang und bleib auch hangen
an Christo als ein Glied;
wo mein Haupt durch ist gangen,
da nimmt er mich auch mit.
Er reißet durch den Tod,
durch Welt, durch Sünd, durch Not,
er reißet durch die Höll,
ich bin stets sein Gesell.

Mittagspause

IV

Fragen des Plenums an die Disputanten

Gemeinde singt:
Jesus lebt, mit ihm auch ich!
Tod, wo sind nun deine Schrecken?
Er, er lebt und wird auch mich
von den Toten auferwecken.
Er verklärt mich in sein Licht;
dies ist meine Zuversicht.

Tagungsleiter: Diese Nachmittagsstunden sind der Diskussion im allgemeinen gewidmet. Bevor ich bitte, sich dazu zu melden, gebe ich eine Bitte von Herrn Professor Fuchs weiter. Er hat ein Büchlein geschrieben: »Das Programm der Entmythologisierung«, zu kaufen für 1,50 DM, vorn am Büchertisch.
Ich bitte jetzt jeden, der ein Wort sagen will, sich zu melden, seinen Namen zu nennen und vom Platz aus zu sprechen, wo er sich befindet. — Bitte schön!

1. Drei Fragen an E. Fuchs

1. Diskussionsteilnehmer: Doktor . . . , praktischer Arzt.
Vielleicht dient es der Entspannung, wenn ein Laie mal etwas fragen darf, nachdem eben so hochgelehrte Fragen gestellt wurden. Ich bitte mir das nicht verübeln zu wollen.

a) Wie unterscheiden sich Christ und Mohammedaner im Blick auf die Liebe?

Herr Professor Fuchs, Sie sagten: »Überall in der Welt, wo Liebe ist, da ist Christus.« Ich wäre Ihnen dankbar, wenn Sie ganz prägnant mir sagen könnten: Was ist der Unterschied zwischen einem Mohammedaner, der fromm ist und wirklich Liebe übt, und einem Christen, der fromm ist und wirklich Liebe übt? Bei beiden ist doch, wenn ich Sie recht verstanden habe, Christus.

Fuchs: Also, der Unterschied liegt nicht bei der Liebe, sondern der liegt beim Trost. Der Mohammedaner kann natürlich Liebe üben. Da ist niemand ausgeschlossen.

1. Diskussionsteilnehmer: Und dann ist Christus bei ihm?

Fuchs: Selbstverständlich! Natürlich nicht in seinem Bewußtsein. Der Mohammedaner weiß das nicht, wer bei ihm ist. Aber der Christ weiß es, und deswegen kann der Christ andere trösten. Der Mohammedaner wird so, in der Form jedenfalls und mit der Begründung und Zuversicht, schlechthin nicht trösten können. Das glaub' ich nicht. Aber mehr kann ich darüber nicht sagen.

1. Diskussionsteilnehmer: »Inschalah!« So Gott will!

Fuchs: Wie?

1. Diskussionsteilnehmer: »Inschalah!« So Gott will! Das ist ein Trost des Mohammedaners.

Fuchs: Das ist ein bißchen wenig!

1. Diskussionsteilnehmer: Das ist viel!

Fuchs: Das ist viel, wenn man *weiß*, was man da sagt. — Aber bitte, wenn Sie Mohammedaner sind, dann müßten wir weiterreden, nicht wahr?

1. Diskussionsteilnehmer: Das ist sicherlich nur ein kleiner Meinungsunterschied. Sie würden sicher bei gegebener Zeit noch viel mehr darüber sagen können. So finde ich das, für mich persönlich, etwas unbefriedigend. Aber ich will Sie nicht lange aufhalten und zu meiner zweiten Frage kommen.

b) Wie unterscheiden sich Paulus und die anderen Apostel im Blick auf die Erscheinungen?

Ich bin ja Arzt und mich interessiert etwas die Methodik. Sie haben mit 1. Kor. 15 eine Reihe von Osterzeugen aufgeführt. Das sind doch, wenn ich Sie recht verstanden habe, Zeugen der leiblichen Auferstehung des historischen Jesus?

Fuchs: Nein, das habe ich nicht gesagt, und das steht auch nicht da. Sondern das sind Zeugen, denen der Herr erschienen ist.

1. Diskussionsteilnehmer: Gut! In Ihrem Buch »Zur Frage nach dem historischen Jesus«, S. 42, schreiben Sie: »Daß sich Paulus in 1. Kor. 15 in die Reihe der Osterzeugen stellt, hebt diese Reihe auf, da er ja nicht in das leere Grab hineingesehen hat.«

Hier ist also ein grausamer Satz: »... da er nicht hineingesehen hat«, hebt dieser Zustand die ganze Reihe der anderen Osterzeugen auf,

macht sie unglaubwürdig, hebt sie auf. Das ist doch ziemlich deutlich
und klar ausgedrückt.

Fuchs: Nein, Verzeihung! Ich glaube, da müßte man den Zusammenhang haben. Vielleicht erlauben Sie mir, daß ich das gleich sage. Man
nimmt gern diese dort in 1. Kor. 15 genannten Personen als Augenzeugen für Ostern in Anspruch. Da hat einer ein Buch geschrieben
mit dem Titel:»Der Augenzeuge.« Da ist das etwa so gemeint. Und
nun sage ich: So können wir nicht argumentieren. Denn Paulus ist ja
auch dabei. Und wir können Paulus nicht einen Augenzeugen nennen,
denn Paulus hat wahrscheinlich Jesus überhaupt niemals gesehen. Es
ist für mich z. B. eine interessante Frage, woran Paulus Jesus erkannte.
Ich glaube es zu wissen, woran er ihn erkannte, aber das sage ich
Ihnen nicht. Das braucht man nicht mitzuteilen.

c) Wie verhalten sich Einheit und Vielfalt im Neuen Testament?

1. Diskussionsteilnehmer: Gut! Jetzt habe ich also meine Frage noch:
Es besteht doch aber kein kausaler Zusammenhang zwischen dem
Nicht-in-das-leere-Grab-Sehen des Apostels Paulus und dem Ins-
leere-Grab-Sehen des Petrus und des Johannes und dem Sehen des
Herrn der anderen 12 Apostel. Nun ist meine Frage: Inwiefern hebt
denn nun eigentlich das Nicht-ins-leere-Grab-Sehen-des Apostels Paulus das Sehen der anderen auf? Das ist eine Frage zur Methodik, nicht
wahr?

Fuchs: Nur logisch! Man müßte eigentlich, wenn man vom leeren Grab
ausgehen will, diejenigen, die da in Frage kommen, für sich nehmen.
Und den Paulus müßte man wiederum für sich nehmen. Denn Paulus
hat ja als einziges Widerfahrnis dieses Ereignis vor Damaskus gehabt.
Man kann ihn also nicht mit den anderen vergleichen. Im übrigen ist
das nur eine logische Widerlegung, denn in Wahrheit ist es ja bei den
anderen Geschichten der Evangelien so, daß es Frauen sind, wenn sie
das leere Grab nennen. Das habe ich aber so nicht gesagt. Oder aber,
wenn Sie Simon Petrus nehmen: Der unterscheidet sich aber von Paulus
dadurch, daß er eben Jesus gekannt hat und als sein Jünger mit ihm bei-
sammen war. Die ganze Argumentation baut etwa auf Apostelgeschichte 1 auf: Die, die mit ihm hinaufgezogen sind und mit ihm gegessen haben, die haben ihn nachher gesehen und sind seiner als Zeugen
gewürdigt worden. Die kann man nun »Augenzeugen« nennen, leeres
Grab hin oder her. Von Paulus können Sie das dagegen nicht sagen.
Wenn man also sagt: Alle miteinander in 1. Kor. 15, nach Paulus, sind

in dem Sinn Augenzeugen wie die anderen, dann hebt Paulus die Reihe auf, weil er eben nicht in dem Sinn Augenzeuge ist wie die anderen, da er ja nicht mit Jesus hinaufgezogen ist nach Jerusalem und trotzdem mit ihnen zusammen in 1. Kor. 15 genannt wird. Das meine ich.

1. Diskussionsteilnehmer: Ich habe noch eine Frage: Die Tatsache, daß Paulus nicht ins leere Grab gesehen hat, entnehmen Sie dem Neuen Testament?

Fuchs: Natürlich!

1. Diskussionsteilnehmer: Sie nehmen also in diesem Falle das Neue Testament als Quelle völlig ernst?

Fuchs: Immer!

1. Diskussionsteilnehmer: Und jetzt frage ich Sie: Warum nehmen Sie dann die Quelle des Neuen Testaments nicht auch ernst und glauben ihr nicht, wenn das Neue Testament bezeugt, daß das Grab leer war, daß Petrus und Johannes hineingesehen haben und keinen Gekreuzigten gesehen haben und daß er ihnen erschienen ist . . .

Fuchs: Liebe Zeit!

1. Diskussionsteilnehmer: Ich finde, das ist zweierlei Maß.

Fuchs: Ja, Sie haben ganz recht, doch! Also, ich finde, von der normalen, üblichen, immer noch lebendigen dogmatischen Tradition aus ist Ihre Frage berechtigt, weil da die Meinung herrscht: Das Neue Testament ist ein Buch, das zwar nicht gerade in einem Atemzug, aber sozusagen in einem Strich geschrieben wurde. Und der Heilige Geist hat das so gefügt. So ungefähr haben dann Spätere wieder erklärt. Nun sind wir halt — ich kann nichts dafür — nun einmal dahintergekommen, daß das Neue Testament in sehr verschiedenen Teilen zu sehr verschiedenen Zeiten aus sehr verschiedenen Berichten und in sehr verschiedenen Schichten geschrieben worden ist. Und deswegen kann man nicht einfach sagen: Das steht nun als Bericht drin, sondern das *ist* nun mal so, daß diese Berichte zu verschiedenen Zeiten formuliert worden sind unter verschiedenen Interessen und daß einer auf den anderen manchmal überhaupt nicht Rücksicht nimmt in bezug auf Chronologie und das, was Sie als Arzt »Befund« nennen würden. Nicht wahr, das *ist* kein Befund. Das ist unmöglich. Und deswegen können wir so nicht argumentieren.

Dagegen müßten Sie, nach meiner Meinung, wenn Sie da etwas bohren wollen, so fragen: Ja, wenn das Neue Testament so verschieden geschrieben und von verschiedenen Leuten zu verschiedenen Zeiten geschrieben wurde, zum Teil sogar im Befundstil, wie es scheint, was aber trotzdem nicht ganz stimmt, dann können Sie fragen: Ja, was ist denn das Herz der Sache? So können Sie's machen. Das können Sie fragen.

1. Diskussionsteilnehmer: Ja, aber weil es zu verschiedenen Zeiten und

aus verschiedenen Schichten geschrieben worden ist, es trotzdem eine so
große Einheit ist, ist das nämlich gerade der Beweis, daß Gott das so ge-
wollt hat.

Fuchs: Ja, es ist schon eine große Einheit. Das ist schon wieder wahr.

Lachen in der Gemeinde.

Fuchs: Wissen Sie, da sind Sie mir etwas zu großzügig.
Also, der Herr Künneth ist doch da, nicht?

Künneth: Ich bin schon da!

Lachen in der Gemeinde.

Fuchs: Also, das klingt jetzt furchtbar böse. Wenn ich es nicht mit einem
dogmatischen System ... Ich sage nicht, Herr Künneth, daß wir nur
unter der Prämisse miteinander reden könnten, daß ein dogmatisches
System vorausgesetzt ist. Das lehne ich ab, und das werden Sie mir ja
auch nicht abzwingen wollen. Aber wenn das die Prämisse wäre, daß
man nur unter einem dogmatischen System miteinander reden könnte,
dann würde ich es ablehnen, da von Einheit zu reden. Denn in dem
durchkonjugierten Sinne mit allen Paragraphen und Nuancen — so einheitlich ist das Neue Testament gar nicht. Nehmen Sie z. B. den Hebräerbrief: Wo ist denn da die Auferstehung? Der spricht von der Erhöhung
und allem möglichen, bloß nicht von der Auferstehung. Nicht wahr, der
meint aber tatsächlich Christus. Da ist kein Zweifel: Jesus Christus, der
Sohn Gottes. So der Hebräerbrief. Er redet aber nun mal nicht von
Ostern in dem Stil. Und das werden Sie weithin beim Neuen Testament
dann auch bestätigt finden. Das können Sie selber nachlesen.

Aber wenn man sich auf einer anderen Basis trifft, nicht um sich auf
ein vorgegebenes dogmatisches System festzulegen, sondern aus religiö-
sem Interesse, dann sieht das ganz anders aus. Dann würde ich sagen:
Natürlich ist das eine Einheit. Ich könnte ja sonst niemals so einen Vers
aus so einem Gesangbuchlied, etwa von Gellert, singen, nicht wahr? Ich
meine, das muß eine gewisse Variationsbreite der Aneignung in sich
schließen und tut's ja auch. Zwischen Theologen, die sozusagen an der
Herstellung der Verkündigung mitwirken, wenn wir ganz grob so mal
sagen wollen, auch bei Lehrern, die den Unterricht geben, muß das Gespräch etwas anders laufen als zwischen dem, der hören will und sich
vergewissern will. Das ist nämlich ein Unterschied, ob ich unterrichte
oder ob ich für mich etwas haben will. So herum meine ich.

1. Diskussionsteilnehmer: Danke sehr!

Tagungsleiter: Darf ich jetzt folgendes machen: Es sind so viele Hände,
die sich da drüben melden. Würden Sie Ihren Namen nennen?

2. Diskussionsteilnehmer: Mein Name ist ...

2. Drei Fragen an E. Fuchs

a) Welche Heilsordnung kennt das Neue Testament (Acta 2)?

2. Diskussionsteilnehmer: Sehr verehrter Herr Professor Fuchs! Ich habe drei Fragen an Sie: 1. Können Sie mir in der Apostelgeschichte oder in den paulinischen Lehrbriefen eine Stelle sagen, wo die Reihenfolge, die Herr Professor Künneth meinte — 1. Heilstat Gottes, 2. Heilszueignung in der Predigt, 3. Heilsaneignung in Buße und Glaube — können Sie mir in der Apostelgeschichte oder in den paulinischen Lehrbriefen eine Stelle sagen, wo diese Reihenfolge anders ausgedrückt wird, als sie Herr Professor Künneth in These 2, auf die Sie wenig eingegangen sind, formuliert hat? Ich darf ein Beispiel geben für alle diejenigen, die keine Volltheologen sind: Apostelgeschichte 2, erste Predigt, die Pfingstpredigt des Petrus. In der ganzen Predigt, vom ersten bis zum letzten Satz, nur die Rede von den großen Taten Gottes. Die Predigt kulminiert in dem Satz: So wisse nun das ganze Haus Israel gewiß, daß Gott diesen Jesus, den ihr gekreuzigt habt, zu einem Herrn und Kyrios gemacht hat. Bis dahin, Herr Professor, ist nicht in einem Satz davon die Rede, daß mein Glaube hineingenommen werden müßte in die Tat Gottes. Aber jetzt kommt es: Die Erschütterung über diese Predigt, die nur von den Taten Gottes sprach, ist so groß, daß Menschen fragen: »Was sollen wir denn tun?« Und jetzt kommt die Heilszueignung: 1. Buße, 2. Glaube: »Kehrt um und lasse sich ein jeglicher taufen auf den Namen unseres Herrn Jesu Christi zur Vergebung der Sünden, so werdet ihr die Gabe des Heiligen Geistes empfangen.« Ich könnte daneben stellen aus dem 2. Korintherbrief, Kapitel 5 . . .

Fuchs: Na, langsam!

Lachen in der Gemeinde.

2. Diskussionsteilnehmer: Ich brauche nicht zu sagen, was da steht. Darf ich auch gleich für die Nichttheologen sagen: Wieder die Reihenfolge: 1. Gottes Tat, die Versöhnung ist geschaffen. 2. Wir sind Botschafter Jesu Christi, wir rufen euch auf. 3. »Laßt euch versöhnen mit Gott!« Da muß ich etwas tun. Das ist die Heilsaneignung. Ich möchte die 2. These von Herrn Professor Künneth als die entscheidende These ansehen.

Fuchs: Ja, Moment mal, ist Ihre Rede jetzt fertig? War das jetzt die Frage?

2. Diskussionsteilnehmer: Ich bin mit einem Satz fertig: »Die Auferstehung Jesu Christi stellt das grundlegende Heilsereignis dar, so daß sowohl die christliche Verkündigung zentral durch dieses vorausgegebene Geschehen bestimmt wird, als auch christlicher Glaube sich

wesensmäßig als Osterglaube versteht.« (2. These von Prof. Künneth)
Damit bin ich zu Ende mit meiner ersten Frage.
Zischen und Lachen in der Gemeinde.
Tagungsleiter: Herr . . . , wäre es nicht ratsam, wenn darauf Herr Professor Fuchs jetzt erst antwortete?
2. Diskussionsteilnehmer: Das wäre sehr lieb.
Fuchs: Das Dumme ist nämlich das: Ich finde das Wort »Glauben« überhaupt nicht in dem ganzen Kapitel. Ich finde es auch nicht im zweiten Abschnitt.
2. Diskussionsteilnehmer: Also, über eins besteht doch Einigkeit . . .
Fuchs: Nein, nein, nein, nein! Ich habe Ihnen geantwortet, und ich will nicht mehr sagen als dies: Ich finde, das Ding haut nicht so richtig hin, weil das Wort Glaube, das Sie haben müßten, wenn Sie da was aufbringen wollten in der Diskussion . . .
2. Diskussionsteilnehmer: Da komme ich auf Punkt 3 heraus, auf Glaube.
Fuchs: Das kommt aber überhaupt nicht in dem Kapitel vor. Also, beachten Sie doch: Entweder wir diskutieren über das Thema »Verkündigung und Glaube«. Sie wollen sagen: Da ist doch ein Schema, das seine Ordnung hat und das dem Glauben seine Stelle gibt in Punkt 2 oder 3, wie es gerade kommt.
Und nun sage ich: Ich finde den Glauben da überhaupt nicht. Sie sagen ganz pathetisch: »Die großen Taten Gottes.« Gut, der Ausdruck kommt vor. Aber ich finde: Das Kapitel redet viel konkreter. Aber das ist jetzt egal. Und dann, sagen Sie, kommt nachher der Glaube. Und Sie meinen, ich vermische beides zu Unrecht, nicht? Ich müßte auch zuerst die großen Taten Gottes gelten lassen, und dann käme eben der Glaube. Und jetzt sage ich bloß: Was wollen Sie? Ich finde, der Glaube kommt überhaupt nicht vor in Ihrem Beispiel. Das ist nämlich wichtig. Ich will ja den Glauben drin haben, und dann kann ich doch nicht über solche Kapitel reden, wo der Glaube, wie Sie sagen, nicht an der richtigen Stelle steht, sondern überhaupt nicht vorkommt. So meine ich. Ist das logisch, oder?
2. Diskussionsteilnehmer: Also, im gleichen Kapitel steht Vers 44: »Alle aber, die gläubig geworden waren, waren beieinander und hatten alle Dinge gemein.«
Fuchs: Nach der Rede!
2. Diskussionsteilnehmer: Wenn Sie auf den Terminus technicus Wert legen: »Glaube«, dann steht er wenigstens in Vers 44. Nach meiner Meinung steht er schon sinngemäß in Vers 41: »Die sein Wort annahmen, ließen sich taufen.« Ich glaube, daß man Taufe auch in Ihrem Sinn hier übersetzen darf mit »persönlicher Glaubensentscheidung«.

Fuchs: Also, Verehrtester, damit wir nicht unnütz streiten, und damit Sie wissen, was ich denke, falls Sie sich überhaupt dafür interessieren — denn Sie werden mich ja nicht bloß fertigmachen wollen, sondern Sie werden ja auch von mir wissen wollen, was ich meine, nehme ich an . . .
Lachen in der Gemeinde.
Fuchs: . . . so will ich Ihnen sagen: Nach meiner Meinung kommt der Glaube, weil Sie das Wort »sinngemäß« gebraucht haben, von vornherein vor in dem Kapitel, allerdings! Alle diese Sätze, schon das Joel-Zitat in 2, 17 ff., dann nachher das, was er über Christus sagt, sind samt und sonders Sätze des Glaubens und sind vom Glauben her gesprochen und wollen natürlich auch Glauben wecken. Das möchte ich Ihnen, wenn Sie von »sinngemäß« reden, ohne weiteres zugeben. Aber dann fragt es sich freilich, wie weit man noch kommt, wenn man solche Schemata aufstellt. Und das war ja Ihr Problem.
Also, mehr möchte ich zu dem Punkt nicht sagen, sondern nur bitten . . . Da sieht man, wie schwer das ist. Man muß eben genau sein. Unsere Diskussion wird jetzt sehr leiden, wenn wir in Einzelheiten gehen, wo sowieso so viele das Neue Testament gar nicht zur Hand haben und nicht mit ihm zu arbeiten gelernt haben.

b) Hat der historische Jesus gesagt: »Es ist vollbracht« (vgl. Joh. 19, 30)?

2. Diskussionsteilnehmer: Meine zweite Frage: Ich beschäftige mich mit Ihrem Buch »Zur Frage nach dem historischen Jesus«.
Fuchs: Ach, 's ist ein schlechtes Buch, ein schlechtes Buch. Lassen Sie's weg!
Lautes Lachen in der Gemeinde.
2. Diskussionsteilnehmer: Es ist aber erst 1960 erschienen.
Fuchs: Das ist doch bloß eine Aufsatzsammlung.
2. Diskussionsteilnehmer: Sie haben von der Wichtigkeit der Exegese gesprochen, die aller systematischen Aussage gegenüber vorausgehen muß. Erlauben Sie mir bitte eine ganz konkrete exegetische Frage: Wie stehen Sie zu Johannesevangelium 19, 30? Hat der geschichtliche Jesus gesagt: »Es ist vollbracht!«, oder hat er es nicht gesagt? Ich sage Ihnen, warum ich diese Frage stelle: Ich bin am 9. September dieses Jahres auf dem großen Pfarrertag in Münster gewesen.
Fuchs: Ja.
2. Diskussionsteilnehmer: Das Vormittagsreferat hatte Ihr verehrter Fachkollege, Professor Willi Marxsen, für Neues Testament in Münster. Das Nachmittagsreferat hielt Professor Dr. Steck. Es gab eine Aussprache

nach dem Nachmittagsreferat. Da stand ein Amtsbruder auf und sagte: »Herr Professor Steck, ich habe folgende Frage: Was soll ich in der Passionszeit meiner Gemeinde verkündigen? ›Den angefochtenen Christus‹, der gesagt hat: ›Mein Gott, mein Gott, warum hast du mich verlassen?‹, oder den Sieger von Golgatha: ›Es ist vollbracht!‹ Ich«, sagte dieser Amtsbruder, »habe in der neutestamentlichen Exegese gelernt, daß der Satz: ›Es ist vollbracht‹ unhistorisch sei. Das hat nicht Jesus gesagt, als er am Kreuz hing, sondern das hat der Evangelist Johannes ihm in den Mund gelegt.« Sie verstehen vielleicht, warum ich Frage 1 und 2 verbinde. Sie sagten, Sie könnten nicht verstehen, daß systematische Theologen — ich gehöre auch zu ihnen, auch wenn ich nur ein schlichter Landpfarrer bin, aber einmal meinen Lizentiaten in systematischer Theologie gemacht habe — an der Tat Gottes ein so großes Interesse hätten. Mein Interesse und unser Interesse an der Tat auf Golgatha ist dies, daß keiner von uns zu dieser Erlösungstat ein Quäntchen hinzugetan hat, daß es eine Tat der Erlösung ist, die vollzogen ist, ohne daß einer von uns dabei gewesen ist. Und wenn ich das nicht meiner Gemeinde sagen kann, ziehe ich morgen meinen Talar aus.
Fuchs: Was? Wie war das? ... wenn Sie morgen zu Ihrer Gemeinde sagen können ...?
Zurufe aus der Gemeinde: Nicht sagen!
Fuchs: Das muß er sagen dürfen, daß keiner von uns ein Quäntchen dazugetan hat. Das meint er doch?
Zurufe aus der Gemeinde: Ja, ja.
Fuchs: Dann hüten Sie sich aber auch, daß Sie nicht etwas zur Dogmatik hinzufügen!
2. Diskussionsteilnehmer: Und ich frage: »Es ist vollbracht« — muß ich in der Bibelstunde meiner Gemeinde sagen: ›Das hat der historische, geschichtliche Jesus nicht gesagt. Das hat Johannes ihm in den Mund gelegt?‹
Fuchs: Warum? Was wollen Sie damit?
2. Diskussionsteilnehmer: Das ist für mich eine Kardinalfrage! Für mich steht fest, daß der geschichtliche Jesus es gesagt hat. Und wenn er es nicht gesagt hätte, wäre ich kein evangelischer Theologe geworden, kein Prediger des Evangeliums.
Fuchs: Oooh! — Wollen Sie nun von mir etwas wissen oder nicht?
2. Diskussionsteilnehmer: Ich wollte die Frage beantwortet haben, wie Sie Joh. 19, 30 verstehen: Als eine Aussage, die der geschichtliche Jesus, am Kreuz hängend, gemacht hat, oder als eine Aussage, die der Evangelist Johannes Jesus in den Mund gelegt hat?
Fuchs: Also, wenn ich an das Wort *tetelestai* komme, mache ich meine

Studenten zuerst darauf aufmerksam — das hört sich vielleicht merkwürdig an, nun ja —, daß das mit lauter *tau* geschrieben ist. Das *tau* ist ja
das Kreuzeszeichen, nicht? Ich halte das nicht für einen Zufall. Daß Jesus
nicht griechisch am Kreuz gesprochen hat, ist mir sicher. Insofern kann
er es schon von vornherein nicht gesagt haben. Jesus hat am Kreuz doch
nicht griechisch gesprochen. Es gibt ein Wort, von dem ich annehme —
und ich glaube, Jeremias überlegt sich das auch —, daß Jesus tatsächlich
dieses Wort am Kreuz ausgesprochen hat, nämlich dieses merkwürdige
Abba, das kein Mensch richtig unterbringen kann. Es müßte eigentlich
Abi heißen, oder so etwas. *Abba* heißt wahrscheinlich »Väterchen«, so
wie die Russen sagen. Oder wie der Sklave im Haus zum Hausvater
spricht. Da sind aber Sklaven und Kinder beieinander. Wenn Sie mich
als Historiker fragen, halte ich das für wahrscheinlich.
Aber, sehen Sie, was hilft denn das? Ich muß doch das Kreuz Jesu selber
auch verstehen. Und ich finde, das Kreuz Jesu schreit doch auch, so gut,
wie es ein andermal heißt: Die Steine werden schreien. Schreit denn
vielleicht das Kreuz Jesu nicht? Ist vielleicht das Kreuz Jesu nicht selber
auch Wort Gottes? Wer sagt denn, daß, wenn der Johannesevangelist
sagt: ›Dieser Gekreuzigte tut den Mund auf; hört ihn jetzt, was er sagt,
wie sein Kreuz aus ihm spricht und er *über sein Kreuz* sozusagen, wenn
er *tetelestai* sagt‹ — das könnte doch Wort Gottes sein? Ich meine, so
muß man von außen her fragen, bevor man verstanden hat, was das ist.
Was heißt schon ›historisch‹? Ich pfeife aufs Historische!!! Das sage ich
Ihnen gleich. ›Historisch‹ heißt nichts. Historisch *kann* Gottes Wort sein,
das ist wahr. Aber Wort Gottes ist mehr als historisch. Wo kommen wir
denn da hin? Das Wort Gottes ist manchmal gar nicht so ein Wort, das
man aufzeichnen kann. Das Wort Gottes *schafft*. Ich wollte, ich könnte
sagen — aber dazu habe ich nun wieder nicht die Vollmacht —, daß das
Wort Gottes unter einem solchen Gedröhne schafft, daß Sie gar nicht
unterscheiden können, was da vor sich geht. Dann ist's aus mit Wahr-
nehmen.
Mir gefällt das alles nicht. So redet man nicht von Gott und nicht von
der Offenbarung. Das wäre noch mal schöner, wenn wir in der Offenbarung abhängig wären vom historischen Befund. Das ist die gleiche
Frage wie vorhin. Wer soll denn den Befund aufnehmen? Wer soll denn
nachher sagen: ›Das hat er gesagt!‹? Gehen Sie nach Hause und unterhalten Sie sich darüber, was hier in der Diskussion heute alles gesagt
wurde. Da kriegen Sie schon heute abend nach dem Acht-Uhr-Radio —
oder wann Sie es miteinander bereden — ganz verschiedene Berichte. Das
haben Sie vom Historischen! *Nichts* haben Sie davon. *Verstanden*
müssen Sie es haben.

Lachen und Klopfen in der Gemeinde.
Fuchs: Das hat keinen Wert, das muß ich auch sagen, so ein Beifall. Erstens sind wir in der Kirche. Das ist wahr. Natürlich, es ist nicht zu vermeiden, daß die Kirche manchmal vielleicht ein bißchen viel Weite haben muß, nicht wahr?
Lachen in der Gemeinde.
Fuchs: Wir wollen dann die Weite nicht willkürlich verengen. Vielleicht darf man es so sagen: Wir wollen die Weite nicht willkürlich durch so falsche Äußerungen einengen, denn das ist auch in meinem Interesse.
Tagungsleiter: Sie hatten noch eine dritte Frage.

c) Glauben an Jesus oder Glauben wie Jesus?

2. Diskussionsteilnehmer: Sie nehmen mir nicht übel, Herr Professor, wenn ich Ihre Antwort nicht als für mich befriedigend ansehe.
Fuchs: Das *können* Sie nicht. Das wissen wir doch gegenseitig! Sonst hätten Sie doch nicht so angefangen . . .
Lachen in der Gemeinde.
Tagungsleiter: Also würden Sie jetzt die dritte Frage stellen, bitte.
2. Diskussionsteilnehmer: Glauben im Neuen Testament!
Fuchs: Oh!
2. Diskussionsteilnehmer: Ein Gefängnisdirektor fragt Paulus: Was muß ich tun, daß ich gerettet werde. Paulus antwortet: Glaube *an* den Herrn Jesus Christus, so wirst du und dein Haus gerettet werden. Wenn ich Ihren Aufsatz »Die Frage nach dem historischen Jesus« richtig verstanden habe, lautet einer Ihrer Kernsätze: »Wir müssen also sagen, daß wie Jesus der Stellvertreter des Glaubens war, so auch der Glaube der Stellvertreter Jesu wurde. An Jesus glauben heißt jetzt der Sache nach, Jesu Entscheidung wiederholen« usw.
Fuchs: Hm.
2. Diskussionsteilnehmer: Meine Frage an Sie, die mir auch heute nach Ihrem Referat nicht deutlich geworden ist: Ist Glauben im Neuen Testament für Sie Glauben *wie* Jesus oder Glauben *an* Jesus? Anders ausgedrückt: Verweisen Sie mich auf die Verhaltensweise Jesu, die ich nachzuvollziehen habe aus seinem Gottesverhältnis, oder verweisen Sie mich auf die rettende Tat am Kreuz von Golgatha?
Fuchs: Also, das ist ja keine echte Frage, wenn Sie das so formulieren. Wenn Sie so formulieren, ist klar, daß Sie von mir erwarten, daß ich sage: Echte Tat!, daß Sie aber eigentlich erwarten, daß ich es nicht sage, und dann können Sie natürlich sagen: Da kann man's sehen!

Lachen in der Gemeinde.
Fuchs: Nicht wahr, da müssen Sie aufpassen. Sie müssen sich mir gegenüber auch fair verhalten. — Nun gebe ich Ihnen aber zu, daß ich Ihnen Anlaß zu dieser Frage gegeben habe. Da haben Sie recht. Und nun möchte ich so antworten: Natürlich meine ich Glauben *an* Jesus. Aber dieser Glaube *an* Jesus, sage ich, ist eben nicht möglich oder so formal, daß er keinen Wert hat, wenn er nicht zugleich ein Glaube *wie* Jesus ist. Und da kommt wieder die Situation herein, von der ich heute morgen gesprochen habe: Die Situation als Koeffizient des Glaubens. Ich habe einmal gesagt:»Jesus nimmt Gott für den sündigen Menschen in Anspruch.« Das ist keine Kleinigkeit. Wenn Sie z. B. auf der Kanzel stehen und sagen: ›Liebe Leute, liebt euren Nächsten wie euch selbst‹, oder: ›Liebet eure Feinde!‹, und wenn Sie dann auch noch spezifizieren, so sind das doch keine Kleinigkeiten. Auf einmal ist da einer, der geht her und tut's. Ja, was glauben Sie, was Sie dann von der Familie des Betreffenden für Briefe bekommen, falls sie erfährt, daß er auf Ihre Predigt hin so gehandelt hat!? Nicht wahr, das ist der Fehler in unserer Verkündigung — das ist wieder diese Zeitlosigkeit —, daß wir meinen, wir könnten das so einfach als allgemeines Gebot hinsagen. Das ist falsch. Einem zu befehlen, daß er liebt, ist ein ungeheures Risiko, wenn man weiß, was Liebe ist, wohl verstanden! Den bringt man ins sichere Unglück. Lieben führt ins Unglück! Das muß man wissen! Im anderen Fall ist man naiv. Und wenn man das weiß, kehrt man wieder zum Neuen Testament zurück und fragt sich: Ja, warum sagt's das Neue Testament nun trotzdem? Und dann sag' ich: Dann hast du verstanden, dann bist du unterwegs dazu, daß du merkst, was das heißen könnte: Glauben *wie* Jesus, in der Tat! Aber dann wissen, daß man es nötig hat, gerade deshalb zu glauben *an* Jesus, weil da ein Unterschied ist zwischen Jesus und uns. Allerdings!
Das ist alles!

3. Zwei Fragen an E. Fuchs:

3. Diskussionsteilnehmer: Ich möchte mich vorstellen: ... Ich bin auch ein Laie und möchte an den ersten Diskussionsbeitrag anschließen. Ich darf mich gleich noch mit einem Signum vorstellen, Herr Kollege Fuchs. Mein Kollege Braun in Mainz sagt von mir, ich sei etwas unterbelichtet.
Fuchs: Was seien Sie?
3. Diskussionsteilnehmer: Unterbelichtet.
Fuchs: Das ist doch egal, was Braun über Sie sagt.

Lautes und langes Lachen in der Gemeinde.

3. *Diskussionsteilnehmer:* Ich möchte es Ihnen nur gleich richtig gesagt haben, damit Sie auch über mich von ihm her Bescheid wissen.

a) Worauf kommt es bei der Auferstehung Jesu an?

Meine Frage geht in eine ganz bestimmte Richtung: Sie sprachen vorhin davon, daß es beim Reden von der Auferstehung so wichtig sei, daß man engagiert ist. Und das ist vollkommen richtig. Ich würde sagen: Das ist eine Selbstverständlichkeit. Ich würde als Gemeindeglied keinem Verkündiger etwas abnehmen, wenn ich nicht wüßte, daß er wirklich engagiert ist bei dem, was er sagt. Was für Sie eine Selbstverständlichkeit ist, daß nämlich zuvor Gott etwas getan hat, bevor der Glaube kam, das meine ich, da liegt nun tatsächlich die tiefere Frage. Für mich ist das auch ganz entscheidend, und gerade als moderner Mensch, der ich bin, beschäftigt mich nun immer wieder die Frage: Ist es richtig, daß in der Richtung der existentialen Interpretation eine leibhafte Auferstehung Jesu als unmöglich angesehen wird? Ich darf das noch etwas präzisieren. In einer Diskussion mit Manfred Mezger in Mainz wurde von Mezger her die Frage gestellt: Verlangen Sie von mir, daß ich glauben soll, daß ein Leichnam wieder lebendig geworden ist? Wolfhart Pannenberg, mit dem ich auch viel diskutiere, sagte mir, daß seiner Überzeugung nach in vielen Theologen, auch solchen, die als Pfarrer im Amte stehen, die Meinung vorherrscht: So könnte sich die Auferstehung doch nicht ereignet haben. Es kann doch nicht ein Toter wieder lebendig geworden sein, und deshalb brauchen wir eben ein anderes Reden von der Auferstehung.

Sie fragten vorhin: Kann man das photographieren? Um den Unterschied deutlich zu machen: Ich bin überzeugt, als Naturwissenschaftler von heute, daß man die Auferweckung des Lazarus hätte photographieren können, die Auferweckung des Jünglings zu Nain hätte photographieren können, denn das sind Ereignisse gewesen, die sich ganz und gar innerhalb der Schöpfung, der gefallenen Schöpfung, vollzogen haben. Daß man die Auferweckung Jesu nicht photographieren konnte oder würde können, liegt daran, daß es sich hier um eine andere Schöpfung bereits handelt, eine Schöpfung, die von anderen Gesetzmäßigkeiten her geprägt wird als die der gefallenen Schöpfung.

Kurz und gut, meine Frage ist die: Haben Sie auch die Vorstellung, wir müßten glauben, daß hier ein Toter wieder lebendig geworden ist, wenn wir von der Auferstehung Jesu reden? Ist das Ihre eigentliche Triebfeder, warum Sie von der Auferstehung anders reden wollen? Ich habe Mezger damals geantwortet: Das erwarte ich gar nicht von Ihnen, denn das ist bestimmt bei der Auferstehung Jesu nicht geschehen. Wir müssen uns distanzieren von all den Darstellungen der christlichen Kunst. Die haben die Auferstehung natürlich so gemalt.

Fuchs: Na ja.

3. Diskussionsteilnehmer: Aber ich bin überzeugt, daß Gott hier in einer ganz anderen Weise gehandelt hat, und ich kann mir als Naturwissenschaftler auch eine gute Möglichkeit denken, wie er es getan haben könnte:

Fuchs: Hm.

3. Diskussionsteilnehmer: Daß Jesus eine neue, andersartige Leiblichkeit empfangen hat, die zu unterscheiden ist von der Leiblichkeit, mit der er im Sichtbaren wieder erschienen ist. Der Auferstandene hat eine andere Leiblichkeit als der Erscheinende, denn der erscheint in der sichtbaren Welt, während der Auferstandene in der unsichtbaren Welt lebt. Und ich weiß auch eine Möglichkeit von der Naturwissenschaft her, die das leere Grab erklärt oder denkmöglich erscheinen läßt, ohne daß ich glauben muß oder für wahr halten soll, daß Jesus sozusagen lebendig aus dem Grab wieder herausgekommen ist. Die Evangelienberichte schreiben nichts davon, daß er lebendig aus dem Grab herausgekommen sei.

Fuchs: Nein, das sagen sie nicht. Das ist wahr, ja.

3. Diskussionsteilnehmer: Diese Frage ist es, die mich Ihnen gegenüber beschäftigt: Glauben Sie, daß er als Leichnam wieder lebendig geworden ist und wollen Sie das nicht verkündigen?

Fuchs: Herr Kollege . . ., nehmen Sie bitte meine Antwort grad so ernst, wie Sie gefragt haben in der ganzen Ernsthaftigkeit: Ich weiß es einfach nicht, das ist das Blöde! Ich weiß es nicht und will es eigentlich auch nicht wissen. Da handelt es sich um etwas anderes, nicht um einfache Rückkehr in diese innerzeitliche Existenz! Das kann ich gut verstehen. Denn Paulus sagt ja auch: » . . . verwandelt werden.«
Aber ich muß Ihnen Auskunft geben auf das, woran mir nun wirklich am Herzen liegt, nicht wahr, sonst haben Sie keine echte Auskunft.
Also, woran mir am Herzen liegt, ist dies, daß die Leute immer meinen: ›Na ja, es kann ja sein, daß nach dem Tod irgendwas noch ist, irgendwas wird schon sein; die Chemie geht ja auch weiter; aber das ist dann etwas, was mich nichts mehr angeht‹ — das ist nicht meine Meinung, sondern ich sage jetzt das Vorspiel dazu; und dann sagen die Leute: ›Ach, mich interessiert ja eigentlich gar nicht, ob ich ewig lebe oder ewig auferstehen werde bzw. auferstehen werde für ein ewiges Leben; ich

will ja gar nicht auferstehen.‹ Daß jemand sagt: ›ich will nicht auferstehen‹, kann ich gut verstehen. Die Sache ist nämlich die: Ich habe
beobachtet — und das ist auch etwas Wissenschaftliches —, daß der
Mensch seit alters her nichts *mehr* fürchtet, wahrscheinlich, als die Auferstehung der Toten. Er will's ja gar nicht! Wenn Sie in die Etrusker-
gräber bei Tarquinia, der Etruskerstadt, gehen, dann sehen Sie, daß die
Gräber wunderbar ausgemalt sind mit Blau, Grün, Rot, Gelb und Pfer-
den usw. und auch noch ein Tal dazwischen gelegt ist, zwischen die
eigentliche Stadt und die Gräberstadt. Warum? Damit es den Toten da
gefällt und daß sie um Himmels willen nicht wiederkommen! Das ist
eine sehr redliche Sache!
Sehen Sie, heute bemißt man die Leute in ihrer Christlichkeit danach,
ob sie an die Auferstehung der Toten glauben oder nicht. Nun sagen
natürlich die Leute, weil sie christlich sein wollen: ›Ja, ich glaube an die
Auferstehung der Toten!‹ Aber im Ernst *wollen* sie sie gar nicht. Das
ist die eigentliche Komplikation: Die Auferstehung der Toten ist nämlich von Haus aus zuerst eine Gerichtsansage, auch in der Bibel, und
gar nicht eine Heilsansage, wie unser Tee trinkendes Publikum dauernd
meint. Ich habe auch mal gern Tee. So ist das nicht. Aber ich trinke
nicht bloß Tee, das muß ich Ihnen schon sagen, aber auch keinen
Schnaps, das ist auch wieder wahr. Also, da steckt ein tiefes Problem der
Selbsterkenntnis.
Und nun ist es so: Was mich bewegt, ist überhaupt die Verkündigung
der Auferstehung der Toten. Die verkündige ich, und sehr zum, ach,
zum Leidwesen lieber Freunde, weil ich einfach finde: Wir sind nicht
danach gefragt, was wir wünschen oder wollen. Das ist eine völlig
falsche, bourgeoise Einstellung zu diesem Kapitel. Ich bin nicht gefragt,
ob ich auferstehen will, sondern ich bin gefragt, ob *Gott* mich auferwecken will. Das ist eine ganz andere Frage, was er mit mir anfangen
will. Und da habe ich allerdings eine Antwort, und das ist nun meine
tiefste Antwort. Das ist jetzt freilich dumm. Da bin ich jetzt nämlich
selber Systematiker. Das steht jetzt tatsächlich nicht wortwörtlich im
Neuen Testament, was ich jetzt sagen will. Aber ich meine, ich müßte
es so sagen; man müßte länger darüber reden.
Also, jedenfalls ich meine, was ich in einem Aufsatz[11] einmal so ausgedrückt habe: Die Liebe geht einfach nicht zurück! Das ist der springende Punkt! Wenn die Liebe einmal angefangen hat, geht sie nicht zurück. Gott läßt sich die Gegenstände seiner Liebe nicht wegnehmen. Das
klingt jetzt sehr formal, aber das ist der ausreichende Grund für die
Auferstehung der Toten. Das reicht völlig. Ich glaube auch, daß Gott
wahrscheinlich mit vielen Existenzen nichts anfangen kann, vielleicht

auch mit meiner nicht, was weiß denn ich. Das weiß ich nicht. Aber, daß
er an der Auferstehung der Toten festhält, das weiß ich. Und sehen Sie,
das ist entscheidend. Ich will nicht zu viel wissen, aber das, was man
hier wirklich sagen muß, das muß gesagt werden. Wenn Sie das nämlich nicht zugeben, daß Liebe — und Gott liebt in dem Sinne schon —
sich ihren Gegenstand nicht nehmen läßt, von nichts, von gar nichts,
auch nicht durch den Tod, gerade nicht, auch nicht durch die Sünde,
auch nicht durch den Teufel, durch das aktive Böse, wenn Sie das nicht
glauben, dann haben Sie überhaupt keinen Gott. Und wenn Sie einen
Gott haben, dann verstehen Sie auch, was ich sage. Aber vielleicht wissen manche mehr. Es gibt eine Weisheit des Glaubens, die tiefer geht.
Das will ich nicht bestreiten. Die hab ich eben nicht. So weit bin ich nicht
gekommen. Weiter bin ich eben nicht.

b) Wie ist der Mensch im Unglauben an der Auferweckung beteiligt?

3. Diskussionsteilnehmer: Also, ich danke. Eine Antwort auf meine
Frage war es nicht. Aber ich darf zurückfragen: Sie sagten vorhin in
Ihrem Gespräch mit dem Kollegen Künneth: Gott handelt immer so, daß
auch der Mensch dabei beteiligt ist.
Fuchs: Hm. O ja.
3. Diskussionsteilnehmer: Jetzt frage ich Sie: Wie ist Ihrer Meinung
nach der Mensch dabei beteiligt, daß er auferweckt wird, wenn er nicht
auferweckt werden *will?*
Fuchs: Ach so!
Lachen in der Gemeinde.
Fuchs: Das ist natürlich schwer zu sagen. Aber wenn ich so logisch verfahren wollte, wie Herr Professor Künneth mir das die ganze Zeit zu-
mutet, dann könnte ich in seinem Sinne antworten: Das gehört eben zu
der Beteiligung Gottes, daß er dem, den er auferweckt, diesen Willen
schafft. Nicht wahr, beteiligt sein heißt ja nicht: Beteiligt-sein 20 km
vor dem Ereignis. Indirekt, würde ich meinen, sei in unserer Kirche
jeder beteiligt, weil ja die Verkündigung auch jeden grundsätzlich ein-
schließt. Sie schließt ja tatsächlich niemand aus. Sie läßt es darauf ankommen, wie weit das geht. Aber es könnte doch wirklich sein, daß
Gott die Augen öffnet, wann er die Zeit dafür findet. Das glaube ich,
solange wir in dem Dreckselend da herumstolpern.
3. Diskussionsteilnehmer: Sie würden also auch sagen, daß Gott Jesus
auferweckt hat, ohne daß irgendein Mensch dabei beteiligt gewesen ist?
Fuchs: Das weiß ich nicht. Aber er konnte, wenn er wollte.

3. Diskussionsteilnehmer: Genau so hat er es nämlich getan. Es gibt keinen Zeugen für die Auferweckung.

Fuchs: Lieber, also das steht nicht alles im Neuen Testament. Kollege ..., es steht nicht alles im Neuen Testament. Es steht bloß drin, was wir zur Verkündigung brauchen. Das steht drin. Das ist wahr. Folglich brauchen wir in der Verkündigung nicht zu sagen, es sei ein Zeuge da, wenn keiner da ist.

3. Diskussionsteilnehmer: Wir müssen in der Verkündigung auch gewisse Irrtümer beseitigen.

Fuchs: Das ist wahr. Aber uns an die Schrift halten, doch weitgehend!

3. Diskussionsteilnehmer: Aber die Schrift sagt, daß Gott erst Jesus auferweckt *hat*, und daraufhin ist Glauben und Gemeinde entstanden. Und wenn ich anderes von der Kanzel höre, dann gehe ich nicht mehr in den Gottesdienst hin. Danke!

Fuchs: Halt einmal, Herr Kollege ..., Moment einmal! Also, bei mir — das ist jetzt ein bißchen grausam jetzt, nicht wahr — bei *mir* wissen Sie es noch nicht nach dem Gespräch, ob Sie wegbleiben oder nicht, nicht wahr?

3. Diskussionsteilnehmer: Doch, ich weiß es schon!

Fuchs: Was?

c) Wie seelsorgerlich muß von der Auferstehung geredet werden?

3. Diskussionsteilnehmer: Ich weiß es schon! Die Verkündigung darf nämlich niemals ohne Seelsorge geschehen. Und ich vermisse bei Ihnen die Seelsorge, Herr Kollege.

Zischen in der Gemeinde.

Fuchs: O je, das hätten Sie gleich sagen sollen. Dann hätte ich mich nicht so anstrengen müssen.

Das ist wüst! Das ist wüst! Ich finde es wirklich wüst! Ich finde, das hätten Sie nicht sagen dürfen. Ich habe mich da angestrengt und gebe Ihnen innerlichst Auskunft und lasse Geheimes heraus, was ich nicht gleich jedem, der zu mir kommt, sage. Der soll auch ein wenig arbeiten bei mir. Und nachher erzählen Sie mir etwas ganz anderes und sagen: ›Wo bleibt bei dir die Seelsorge?‹ Außerdem wissen Sie doch über meine Seelsorge überhaupt nichts. Und außerdem finde ich — das muß ich ein bißchen hart noch sagen, weil Sie so hart sind —, Sie hätten merken können, daß ich mich den ganzen Tag schon seelsorgerisch benehme.

Klopfen in der Gemeinde.

3. Diskussionsteilnehmer: Ich weiß, daß Sie sehr stark engagiert sind. Das spürt man Ihnen unbedingt ab.

Fuchs: Seelsorgerlich, habe ich gesagt. Sie auch! Das heißt, daß ich mitbedenke die seelische Situation meines Mitmenschen, mit dem ich zusammen bin, so gut ich kann, übrigens Herrn Künneth durchaus eingeschlossen, selbstverständlich, ohne daß ich mich überheben will. Denn das ist noch nicht heraus, wer was vom anderen lernt. Das ist noch nicht heraus! Ich habe mich auch Ihnen gegenüber keineswegs versperrt.

3. Diskussionsteilnehmer: Nein. Aber diesen jungen Menschen, den Sie gestern auf der Autobahn sahen ...

Fuchs: Also, Sie haben halt ein bißchen zu viel gesagt. Jetzt hören wir auf, sonst ... Das können wir vielleicht anderswie korrigieren. Sie haben grad ein bißchen viel gesagt. Das hätten Sie nicht müssen. Ich habe Sie allerdings auch gefragt, aber wenn Sie so viel von Seelsorge wissen, dann hätten Sie auch ein bißchen beherrschter sein können, glaube ich.

4. Eine Frage an E. Fuchs:

4. Diskussionsteilnehmer: Ich war bis 1948 Laie und bin jetzt Stadtmissionar. Ich habe in der Technik gestanden als erster Konstrukteur.
Sie, Herr Professor Fuchs, haben einmal den Satz gesagt und geschrieben: »Wollen wir Jesus als historische Individualität verstehen, so müßten wir ihn freilich wiederlieben, aber das können wir nicht, und das sollen wir nicht.«
Das kann ich voll verstehen! Wenn Jesus nicht als wirkliche Person auferstanden ist, dann lebt er jetzt auch nicht, höchstens in Ihrer Gedankenwelt. Wenn ich aber einen jungen Menschen auf Jesus als die Quelle des Lebens hinweisen will, dann geht es nicht, daß ich von einem gestorbenen Jesus spreche, der also zur Zeit, wo der junge Mann ihn braucht, nicht anwesend sein kann.
Folgender Fall passierte in der Stadtmission: Mir gegenüber sitzt einer, der im Gefängnis oder im Zuchthaus gewesen ist. Ich frage ihn — was sonst wenig geschieht —, wie das gekommen ist, ob er unter Alkohol gestanden hat, denn er sagte: »Ich bin verurteilt worden. Es ist ein Unfall gewesen.« Daraufhin sagte er mir: »Ich habe nicht Alkohol getrunken. Ich bin Kraftfahrer. Mein Vorgesetzter hat von mir erwartet, daß ich einen Lastwagen fahre, für den der Anhänger zu schwer war. Ich habe ihn das wissen lassen. Er hat es doch erwartet. Ich fahre mit dem Wagen, und auf der Autobahn kommt eine Frau auf die Straße.

Ich bremse. Da, wo der Zugwagen dem Lastwagen nicht entspricht, fahre ich dieses Mädchen tot.« Er sagte: »Ich werde nicht damit fertig. Ich sehe das Bild dieses totgefahrenen Mädchens.«

Jetzt kann ich natürlich sagen: »Ach, glauben Sie doch irgendwas!« Ich kann ihm aber auch sagen: »Ich darf Ihnen aus meiner Lebenserfahrung sagen, daß es einen lebendigen Christus gibt, der Ihnen in dieser furchtbaren Situation helfen kann, denn ich selber habe erfahren, daß ich an dem Selbstmord eines Menschen mitschuldig geworden bin, weil ich Christus nicht bezeugt habe. Und ich habe die beglückende Erfahrung gehabt, daß Jesus auch diese Sünde vergibt. Wenn Sie mit Ihrer Schuld zu dem lebendigen Christus gehen im Gebet, dann darf ich Ihnen sagen, dann kann er Ihnen das schenken.«

Ich kann natürlich ab morgen, wenn ich das, was heute gesagt worden ist ... Und nun möchte ich eins sagen: Es geht ja nicht nur um die Aussage von Ihnen, Herr Professor. Es geht ja um die Aussage von vielen anderen, Braun usw. Das steht ja letztlich hier zur Debatte, und nicht nur das, was Sie, beide Herren Professoren, gesagt haben. Denn wenn wir auseinandergehen, heißt es entweder: Die moderne Theologie ist salonfähig, oder es heißt: Wir können sie so, pauschal, nicht annehmen. Was ich hier erlebe, ist: Wenn ich ein Wort sagen will, muß ich erst vier oder fünf verschiedene moderne Theologen fragen, wie ich denn das zu verstehen habe. Damit kann ich draußen an der Front nicht arbeiten.

Dann möchte ich eins sagen: Das stimmte nicht, was Sie vorhin sagten. Ich habe in der Berufsschule einmal ganz sauber gefragt, ohne daß die Schüler voneinander wußten: »Glaubt ihr an die Auferstehung der Toten?« Und es stimmt nicht, was Sie sagen, jawohl! Sondern es waren in einer Klasse von 20—30 etwa 3 oder 4, die das noch sagten. Es sieht also an der Front doch anders aus, auch wenn die Leute sich noch Christen nennen. Das ist nicht mehr drin. Denn unsere Theologie hat ja letztlich auch Einfluß auf die öffentliche Schau. Und wenn die (sc. Theologie) das teilweise ableugnet, kann der moderne Mensch, der sowieso nach Ausreden sucht, sie sehr schnell übernehmen.

Fuchs: Ja, was soll ich da jetzt machen?

Muß man heute noch Jesus mehr lieben als Vater und Mutter?

4. Diskussionsteilnehmer: Entschuldigung, ich wollte die Frage noch gestellt haben. Jesus hat gesagt: »Wer Vater oder Mutter mehr liebt als mich, ist mein nicht wert.« Gilt dieses Wort Jesu noch, dann muß ich

ihn, nein, dann darf ich ihn lieben. Gilt es nicht, ist das auch gestrichen,
dann brauche ich es nicht mehr zu tun.
Fuchs: Also, mein Lieber, so geht das nicht! Ich will Ihnen jetzt doch
gleich etwas sehr energisch sagen: Wenn ich einen erwischen würde,
der sagt: »Jesus hat gesagt ›Wer Vater oder Mutter mehr liebt als mich,
ist mein nicht wert‹, also lauf ich fort und kümmere mich nicht mehr
um Vater und Mutter, mit Berufung auf dieses Wort«, dann bedaure
ich, daß es keine Prügelstrafe mehr gibt und daß man ihn nicht gleich
wahnsinnig durchprügeln kann. Vater und Mutter sind nämlich die
Stellvertreter Gottes, des Vaters Jesu Christi, wenn Sie es wissen wollen.
Da brauche ich keinen Marienkult, um das zu sagen.
4. Diskussionsteilnehmer: Darf ich vielleicht eins noch sagen . . .
Fuchs: Nein, Sie sollen mir nicht eins sagen. Jetzt bin ich dran.
4. Diskussionsteilnehmer: Nein, ich wollte sagen: Das ist bei mir
selbstverständlich. Mir ist nur die Frage wirklich ernst; kann ich zu
einem persönlichen Jesus noch beten oder nicht?
Fuchs: Also, mischen Sie doch nicht alles durcheinander!
Es gibt auch eine Situation, wo man tatsächlich Vater und Mutter oder
Frau und Kind verlassen, jedenfalls riskieren muß. Das habe ich auch
erlebt. Wenn ich auf die Kanzel muß und in einer schwierigen Situation
predigen muß, wo die mich vielleicht holen und einsperren, dann heißt
das auch, Mutter, Kind, Frau usw. zu riskieren. Und die wissen das. Die
sitzen drunten und zittern, weil sie nicht wissen, wie der Gottesdienst
ausgeht. — Dann kommt die andere Frage: Was ist jetzt? Soll ich sagen:
»Ja, weißt du, Frau, die 25 Minuten mußt du dich halt gedulden, aber
wenn es schlecht geht, kann ich auch nichts machen.« Nicht wahr, dann
kann ich nicht sagen: »Ja, glaub' halt an den auferstandenen Herrn, und
alles ist gut!« So hat einmal ein Kollege von mir in der Kirchlichen
Hochschule in Berlin gesagt, als ich gefragt habe: »Wie ist es denn,
wenn wir pensioniert werden, wir Professoren? Was kommt dann?«
Dann hat er gesagt: »Ich warne, liebe Brüder, euch alle vor dem Sicher-
heitsdenken, denn ihr müßt glauben. Dann werdet ihr schon sehen, wie
eure Pensionen geregelt werden.« Und dann habe ich gesagt: »Ha, dann
machte der betreffende Kollege den Glauben meiner Frau von sich abhängig. Und dazu hat er keine Vollmacht.« Sehen Sie, um das handelt
es sich. Unser Glaube kann sehr weit gehen, ach!
Und die Bemerkung, die ich da mal geschrieben habe, da habe ich eine
Formulierung Bultmanns damals aufgenommen. Also, das bedaure ich
ein bißchen. Das könnte ich heute anders sagen. Aber, allerdings kaum
zu Ihnen, kaum. Aber ein persönliches Verhältnis zu Jesus gibt es
schon, und zwar in einem viel weitgehenderen Maß, als ich das früher

für möglich gehalten hätte. Aber das sage ich jetzt nicht zugunsten von
irgendwelchen Schwärmereien, fällt mir gar nicht ein. So ist das nicht
gemeint. Aber, wann die Stunde gekommen ist, wann und wie einer
dem anderen den Rettenden, den ›soteer‹, bezeugen kann, das läßt sich
im voraus nicht sagen. Und da kann man auch nicht sagen: Lassen Sie
sich halt etwas einfallen! Oder: Ich hab' nichts sagen können. Es
kommt *einfach* vor. Um ein Beispiel zu geben: Als aus dem Feld die
Nachricht kam, der Sohn einer Familie in meiner Gemeinde, den ich gut
kannte, war gefallen. Und da gehe ich hin. Ich soll es ihnen mitteilen.
Die großartige, noble Partei, die salonfähige, brachte das nicht fertig.
Der Pfarrer, der darf's dann machen — mit Landjägerbegleitung, der unsichtbaren. Da bin ich also hingegangen und hab's denen gesagt. Wissen
Sie, was wir getan haben? Geweint haben wir halt, wenn Sie's absolut
wissen wollen. Es geht nicht so schnell mit der Verkündigung. Aber am
nächsten Sonntag war ich dann auf der Kanzel. Da hatte ich wieder
Zeit und Gelegenheit. Die Familie war auch in der Kirche. Und das
wurde eine Gemeinde, die mir wahrscheinlich im Dritten Reich das Leben gerettet hat.
So, jetzt lassen Sie es mal genug sein. Überlegen Sie sich, was das heißt.
4. Diskussionsteilnehmer: Darf ich da nur noch eins dazu sagen?
Tagungsleiter: Ja, bitte!
4. Diskussionsteilnehmer: Die Lieder, die Jesus preisen und die Liebe
zum Ausdruck bringen, wollen wir dann lieber nicht mehr singen, wenn
Ihr Satz bestehen bleibt, daß ich diesen Jesus nicht wieder lieben kann.
Fuchs: Ach, jetzt hören Sie doch mal! Ich hab' doch vorhin gesagt: Den
Satz hätte ich besser wahrscheinlich nicht geschrieben, gerade um Ihret-
willen! Jetzt singen Sie es doch von Herzen! Und ich hoffe, daß es dann
auch wahr ist, was Sie singen. Man weiß doch am Anfang auch nicht
genau, wenn man einen Vers singt, wie es ausgeht. Die Lieder sind doch
nicht dazu da, daß Sie vorher dahin starren und gucken: Ist jetzt das Ei
bebrütbar, oder ist es nicht bebrütbar. Die Henne setzt sich drauf, und
nachher sieht man, was 'rauskommt.
Lachen in der Gemeinde.

5. Eine Frage an E. Fuchs:
Welchen Anteil an Heilstatsachen braucht der Glaube an Jesus?

5. Diskussionsteilnehmer: Herr Professor Fuchs, ich darf an das anknüpfen, was Herr Professor Künneth aus Ihrer Hermeneutik zitiert hat. Ich
möchte das Zitat für das Plenum noch einmal anführen. Da haben Sie

gesagt: »In Wahrheit muß doch wohl behauptet werden, daß den Glauben sowohl Jesu Hinrichtung als auch das Bekenntnis zu seiner Erhöhung bzw. Auferweckung eigentlich gar nichts angeht.« Sie haben auf den Einwand von Professor Künneth hin geantwortet: »Was braucht der Glaube noch von Kreuz und Auferstehung zu reden? Der ist voll davon.«

Fuchs: Ja.

5. Diskussionsteilnehmer: Das ist, mit Verlaub gesagt, ein logischer und psychologischer Unfug, wenn ich auf der einen Seite sage: »Den Glauben geht Kreuz und Auferstehung gar nichts an.« Und dann soll das Herz davon voll sein. Verstehen Sie das, daß irgendeinen etwas nichts angeht und er davon zutiefst bewegt ist? Ich verstehe das nicht.

Fuchs: Ja nun . . .

5. Diskussionsteilnehmer: Und dann haben Sie in dem Zusammenhang das Beispiel vom Baum und von den Früchten und von dem, der da draufsitzt und ißt, genannt. Und Sie haben gesagt: Das alles gehört zusammen. Ich frage mich: Wovon soll denn jetzt der Glaube reden? Vom Essen? Vom Vorgang des Essens und des Verdauens? Oder wird der Glaube, wenn das Herz wirklich voll davon ist, von dem reden, was Gott durch Jesus an uns getan hat?

Zweitens: Ich habe Sie in Tübingen gehört, Herr Professor Fuchs. Da haben Sie immer wieder in einer etwas, nach meinem Befinden, abfälligen Weise von den Faktensammlern geredet. Und heute haben Sie ja auch das Desinteresse an der Historie bekundet. Und wahrscheinlich werden Sie den Satz Ihrers Lehrers Rudolf Bultmann unterschreiben, daß der Osterglaube an der Historie nicht interessiert sei. Frage: Stellen Sie und Ihre Kollegen der Existentialtheologie nicht ständig eine unechte Alternative auf: Hier Faktum, dort Kerygma? Muß man nicht vom Neuen Testament eins sagen, daß für das Neue Testament und für den Glaubenden diese Alternative überhaupt nicht existiert? Sie wissen doch, rein philologisch, daß *kerygma* und *keryssein* Kunde *von* etwas ist, was vorgegeben, was passiert ist und dann auf dem Wege der Verkündigung zu mir kommt, daß ich dann aber in, mit und unter dem Wort dem auferstandenen Jesus selber begegne und daß er eben, ein Auferstandener, mir für meinen Glauben, für mein Leben und Sterben und für meine Sündenvergebung bedeutsam ist. Aber niemals werde ich die Gewißheit der Vergebung und die Gewißheit der Auferstehung zum ewigen Leben ohne ihn empfangen. Es geht doch nicht um das bloße Kerygma. Worauf soll der Glaube ruhen? Nur am bloßen Wort, das nicht gedeckt ist, das kein Fundament hinter sich hat, das kein Handeln Gottes hinter sich hat? Ich frage Sie: Führen Sie nicht damit die Christen und unsere jungen Theologen in eine Gnosis hinein, indem Sie diese unechte Alternative aufstellen?

Fuchs: Ja, das ist arg schwer, da zu antworten. Sie fragen mich ja gar nicht, sondern — entschuldigen Sie, wenn ich das so deutlich sage — ich habe das Gefühl, daß Sie mich weit eher herb tadeln. Und Ihre letzte Frage war ja wohl ziemlich rhetorisch. Sie meinen doch wahrscheinlich: Sie fürchten sehr stark, daß das längst geschieht, daß ich die jungen Leute in eine Gnosis hineinführe. Mit Ihnen kann ich mich schlecht unterhalten. Wenn ich mich getroffen fühlen würde, na ja.

Also, was Sie da mit Logik meinen, leuchtet mir bei dem ersten Paradigma eher ein, wo Sie mich fragen, wieso ich in dem ominösen Satz sagen kann: Der Glaube ist voll davon, wenn er nicht sagen will, wovon er voll ist. Nicht, das meinen Sie doch?

5. Diskussionsteilnehmer: Aber auf der anderen Seite sagen Sie: »Es geht den Glauben nichts an.« Wie kann dann das Herz davon voll sein?

Fuchs: So blöd habe ich das nicht ausgedrückt![12]

Stimmen aus der Gemeinde: Doch, doch, doch!

Fuchs: Da steht noch mehr da, davor und dahinter, nicht wahr! Ein Aufsatz besteht doch nicht aus einem Satz! Ich habe außerdem auch den Satz heute morgen erklärt. Aber das kann ich Ihnen abfühlen, daß Sie da tatsächlich nicht mitgehen und sagen: ›Das ist eine Unverschämtheit‹ — so haben Sie es nicht ausgedrückt, das sag ich jetzt konzilianterweise als Echo dazu —, daß ich da hergehe und so etwas sage. Damit habe ich natürlich — da haben Sie auch wieder recht — alle »Heilstatsächler« — das war noch viel frecher —, und ich habe gesagt, daß alle Heilstatsächler eigentlich bedenken müßten — nicht wahr, das war die Meinung —, daß der Glaube doch eigentlich dem allen voraus ist. Das meinte ich. Also, entweder habe ich halt ein falsches Glaubensverständnis oder nicht. Da kann man nichts dran ändern. Ob ich mich dann korrekt ausdrücken kann, das ist wieder eine Frage für sich. Vielleicht kann man es besser machen. Aber ich glaube, es gibt Beispiele.

Darf ich Ihnen noch ein kleines Beispiel — das ist natürlich ein negatives Beispiel — zu der Sache erzählen? Also, ich habe mir mal überlegt: Wie würde ein Professor einer Waschfrau predigen, also in einer Kirche, wo auch Waschfrauen sind, aufstehen und predigen? Waschfrauen gibt's zwar nicht mehr, hat mir gleich jemand versichert. Na ja, also Frauen, die viel waschen müssen, die viel arbeiten müssen. Und denen soll er den paulinischen Ausdruck »Fleisch« erklären. »Fleisch«, nicht wahr, das ist ja ein toller theologischer Ausdruck. »Fleisch«, da gehen die Federhalter hoch, weil man weiß, daß man da viel schreiben kann im Examen, wenn das »Fleisch« drankommt. »Fleisch und Geist« usw. Und

in der Theologie wird man da ganz beredt, aber in der Predigt ist es so schwierig. Wie soll ich jetzt einem hart arbeitenden Menschen, der viel waschen muß, »Fleisch« klar machen? Und da habe ich gesagt: Ha, es ist nichts einfacher als dies. Ja, was glauben Sie, was die Lösung ist? Sehen Sie, jetzt könnte ich es auch so machen: Wenn Sie mir nicht sagen, was die Lösung auf mein Beispiel ist, dann sage ich Ihnen auch nicht, was die Lösung ist auf Ihre Frage.
Lachen in der Gemeinde.
Fuchs: Na, so geht man nämlich miteinander nicht um! Entweder bin ich logisch schwach. Dann müssen Sie mich schonend behandeln. Oder ich bin logisch stark. Dann müssen Sie vorsichtiger sein.

— *Kaffeepause* —

Zwischenrede von Professor Künneth[13]

1. Es geht nicht nur um persönliche Meinungen und den persönlichen Glauben von Theologen

Tagungsleiter: Herr Professor Künneth, dürfen wir Sie jetzt bitten.
Künneth: Meine sehr verehrten Damen und Herren!
Gestatten Sie, daß ich eine allgemeine Bemerkung zunächst mache, und zwar eine Bemerkung über das Verständnis unserer Disputation und unserer Tagung. Ich sage nur meine Privatmeinung. Es geht nicht darum, daß zwei Theologen verschiedener Observanz unverbindliche Deklamationen von sich geben. Deswegen bin ich nicht hierher gefahren. Es geht auch gar nicht darum, daß der eine oder andere — ich glaube, ich spreche auch im Namen von Herrn Kollegen Fuchs — es geht nicht darum, daß der eine oder der andere seine private theologische Meinung da zum besten gibt. Sondern mir persönlich geht es um etwas ganz anderes. Mir geht es nämlich um die Frage: Was ist — theologisch gesehen — für die Verkündigung der Kirche entscheidend? Und es geht mir darum: Was ist für die Existenz der Kirche entscheidend? Also eine wahrhaft existentielle Angelegenheit, eine sehr ernste Sache. Gestatten Sie, wenn ich das so nebenbei bemerke: Manche Reaktion hier in unserem Raume schien mir *zu* humorvoll zu sein.
Klatschen in der Gemeinde.

Künneth: Mir ist es gar nicht so sehr zum Lachen zumute. Ich habe, das haben Sie wohl gemerkt, zwar auch einen Sinn für Humor. Aber es sind doch hier sehr viele Dinge da, die einfach todernst sind. Wirklich! Hier steht die Frage »Tod und Leben«, so wie ich das Neue Testament verstehe, auf jeden Fall auf dem Spiel.

Stimme aus der Gemeinde: Wunderbar!

Künneth: Und sehen Sie, es ist doch so: Ich bin ja kein Theologe, der nur am grünen Tisch, am Schreibtisch, arbeitet, sondern mein Beruf führt mich ja auch wirklich in die Gemeinden hinein, in die verschiedensten Gruppen unseres Volkes, auch zu den jungen Theologen. Und da bedrückt mich einfach eine Tatsache, daß viele — und Herr Kollege Fuchs weiß das vielleicht selbst —, daß viele der jungen Theologen, Vikare, die aus dieser ganzen Welt der existentialistisch bestimmten Theologie kommen, ungeheure Schwierigkeiten haben in ihrem Amt. Und mancher ist daran gescheitert. Das sage ich nicht nur so obenhin, sondern das ist eine Tatsache.

Nun kann man sagen: Das kann man nicht immer nur den akademischen Lehrern zur Last legen. Es liegt mir ferne, so etwas irgendwie so direkt und brutal und unliebenswürdig zu sagen. Aber ich meine: Die Tatsache als solche müssen wir ganz ernst nehmen. Und darum ist für mich einfach jetzt die Frage — und um ihre Beantwortung möchte ich jetzt hier in dieser kurzen Zeit, die mir zur Verfügung steht, ringen — nämlich die Frage entscheidend: Steht das alles, was heute gesagt worden ist, in Übereinstimmung mit — nicht nach dem Wortlaut, sondern nach der Intention — mit dem Kerygma selber, der Zielsetzung, mit dem tiefsten Inhalt der neutestamentlichen Botschaft? Das ist für mich die Frage. Ist das wirklich alles neutestamentlich haltbar oder nicht? Bitte, verstehen Sie mich nicht falsch. Es geht nicht darum, etwa das seelsorgerliche Bemühen des Herrn Kollegen Fuchs in Abrede zu stellen. Es geht nicht darum, nach seiner Frömmigkeit, nach seinem Glauben zu fragen. Das ist etwas ganz, ganz anderes. Danach möchte ich in dem Augenblick ja auch nicht gefragt werden. Sondern es geht mir einfach um eine theologische Klärung, um das, was von den Vertretern der existentialen Theologie gesagt und geschrieben worden ist; an das halte ich mich. Also, Sie verstehen recht, meine verehrten Damen und Herren: Es ist eine ganz ernsthafte Sache, mit der wir es zu tun haben, wenn wir über die Auferstehung Jesu sprechen. Gestatten Sie, daß ich das nun an folgenden Punkten noch etwas ausführe.

Ich greife ein Wort auf, das jetzt in dieser Diskussion, heute nachmittag, noch einmal zur Diskussion stand: Das Neue Testament sei so verschieden nach Ort und Zeit und Verfasser und was weiß ich alles usw.

usw. Das ist eine Binsenwahrheit, von uns niemals bestritten. Mit
Recht hat Kollege Fuchs die Überlegung zur Diskussion gestellt: Man
müßte fragen, was das Herz der Sache sei. Das ist meine Frage auch:
Was ist das Herz der Sache? Das Kernstück der Sache nach dem Neuen
Testament ist — das kann jeder nachweisen, ob er nun ein geschulter
Theologe ist, ein geschulter Historiker, ob er ein Systematiker, Exeget
ist oder ein einfacher sog. »Laie«, das kann jeder nachweisen: Das
ganze Neue Testament ist bis an den Rand gefüllt von der Auferstehungsbotschaft. Und diese Auferstehungsbotschaft wird freilich in ganz
verschiedener Weise dargestellt. Und wenn wir auch im Hebräerbrief
den *Begriff* der Auferstehung nicht so glasklar vor uns haben — das ist
ja auch gar nicht nötig —, aber die *Sache* ist doch da, der lebendige
Christus, der Hohepriester, der für uns eintritt. Ja, ist denn das keine
Auferstehungsbotschaft? Das ist doch ganz selbstverständlich, nicht
wahr? Ich würde sagen, bis in die letzten Spitzen hinein sind die Ausführungen des Neuen Testaments getränkt von der überwältigenden
Nachricht: Der geschichtliche Jesus von Nazareth, der Gekreuzigte, ist
der jetzt lebendige, gegenwärtige Herr. Das nur zur Frage des Gesamt-
verständnisses des Neuen Testaments.

2. Von der Auferstehung muß begrifflich klar geredet werden

Zweitens: Das habe ich heute früh schon betont, möchte es aber noch
einmal aussprechen. Die Art und Weise, wie mein verehrter Kollege
Fuchs über die Auferstehung Jesu spricht, erscheint mir verschwommen,
nebelhaft. Natürlich spricht er davon. Er hat es heute früh ja sehr de-
zidiert sogar getan, was ja auch in seinen Schriften nachzulesen ist. Ich
habe ja eine ganze Skala von derartigen Aussagen von ihm vorgelesen,
die ich leicht vermehren könnte. Aber die Art und Weise, in der von ·
ihm darüber gesprochen wird, trägt den Charakter von Idiogrammen,
von Chiffren, von symbolischen Deutungen, oder wie Sie das nennen
wollen, die aber nicht angemessen sind für die Sache der Auferstehungswirklichkeit, die sie ausdrücken sollen. Denn das ist doch die Frage für
uns Theologen! Wie müssen wir theologisch diese Botschaft von der
Auferstehung aussprechen, a) damit der Inhalt nicht verdorben wird;
b) so, daß der heutige Mensch das versteht? Im übrigen darf ich bekennen: Ich habe schon vor vielen, vor Wirtschaftlern, Technikern, Ju-
risten und was weiß ich für Leuten gesprochen, die mich immer ganz
genau verstanden haben und die ganz genau gewußt haben, was ich
sage und was ich will. Das heißt nicht, daß sie ohne weiteres das im

Glauben nachvollziehen können. Aber darauf kommt es an, ob unsere
Aussageweise dem Inhalt der Auferstehungsbotschaft angemessen ist.
Sind diese Begriffe, die Herr Kollege Fuchs verwendet, wirklich gültig,
tragfähig? Das ist die Frage! Und ich muß sagen: Nein! Sie scheinen
mir nicht tragfähig zu sein. Und so habe ich eben das unangenehme
Gefühl, wie ich auch schon erwartet habe, daß die Lage so ist, daß die
Konturen irgendwie unscharf werden. Wenn ich für alles sagen kann:
Natürlich, das ist Auferstehung! Wenn ich immer auch dieses Wort
nehmen kann, ja, dann zerfließt die Sache! Das bedeutet eine — ich sage
es noch einmal — eine Vernebelung der Sache. Und mir kommt es in der
Tat wirklich auf die Klarheit an. Es muß darüber ganz klar geredet
werden.

3. Es kommt auch auf Informationen über die Heilswirklichkeit an

Ein drittes: Heute früh wurde so nebenbei gesagt: »Ja, wenn man da
von Heilswirklichkeit usw. redet, so ist das nur so eine Art Information
über etwas.« Ja, meine Damen und Herren: Nach dem Neuen Testament
ist Glauben immer zugleich auch ein Erkennen. »Wir haben geglaubt
und erkannt«, das kommt oft vor. Es muß immer etwas zugleich erkannt werden, denn sonst ist der Glaube eine rein formale Angelegenheit, eine Haltung oder sonst irgend etwas, eine Daseinsstruktur, Exi-
stenzstruktur usw. Das aber ist der Glaube im Neuen Testament bekanntlich nicht. Also, Glaube hängt mit Erkennen zusammen. In der
Reformation wird Glaube als ›fiducia‹, als Vertrauen bezeichnet, aber
auch als Erkenntnis. Insofern wird auch eine echte Verkündigung immer
auch ein Element der Erkenntnis vermitteln. Und wenn ich mir den be-
rühmten, geradezu »mythologischen modernen Menschen« anschaue,
dann sieht die Sache etwa so aus. Da habe ich nämlich immer folgende
Erfahrung gemacht, daß gerade der heutige Mensch, gerade auch der
Techniker, der Naturwissenschaftler, sagt: »Ich möchte gerade jetzt
einmal informiert werden, was meint ihr eigentlich damit, wenn ihr
sagt ›Kreuz und Auferstehung‹. Was ist das?« Diese modernen Menschen wollen gerade Aufklärung haben, wollen gerade Information
haben. Die wollen nicht eine so allgemeine, unscharfe Rede hören über
Glauben und Selbstverständnis usw. usw. Das leuchtet den Leuten nicht
ein. Sie wollen hier schon eine klare Auskunft darüber haben, was
dieser christliche Glaube zum Inhalt hat, so wie das Neue Testament ja
auch wirklich in einer nur wünschenswerten Deutlichkeit Antwort gibt.

4. Vier Fragen an E. Fuchs

Aber gestatten Sie, wenn ich nun meine kritischen Fragen noch einmal an vier Beispielen zeige:

a) Ist Jesus Gottes Sohn?

Erstens: Wer war dieser Jesus von Nazareth? Wer war er eigentlich? Meine These ist die, daß wir eine wirkliche Aussage auch über den historischen Jesus nur von der Auferstehung Jesu her machen können, denn dann fällt ein Licht darauf, und da erkenne ich nun auch, wer er eigentlich war und was er wollte und was er tat usw. Wer war dieser Jesus von Nazareth? War er nun ein Mensch, der beispielhaft geglaubt hat, oder ein Mensch, in dem in besonders zugespitzter Weise die Liebe zur Sprache kam, sich also gleichsam personifiziert hat? Wer war das eigentlich? Ist dieser Mensch Jesus dann nur der Initiator oder das Vorbild oder das Beispiel in seiner Verhaltensweise für meine Gläubigkeit? Das wäre die sehr zentrale Frage. Ich würde sagen: Wenn man nichts weiter darüber sagt, dann bleibt das alles bei dem ›vere homo‹, dann bleibt es im Raum der Immanenz. Dann ist das nicht in diesem Sinne wirklich der Einbruch der Offenbarung. Dann möchte ich wissen, was aus der Inkarnation geworden ist. Dann gibt es das eben nicht mehr, daß Gott die Welt geliebt hat und seinen Sohn gesandt hat und daß es der Sohn war. Ich weiß natürlich: »Sohn« ist ein metaphorischer Begiff, aber er meint eben dieses Einmalige, Einzigartige, Unvergleichbare mit dem übrigen Menschen. Also hier, in der Inkarnation im Lichte der Auferstehung, muß uns doch die Einmaligkeit, die Unvergleichbarkeit dieses Jesus klar vor Augen gebracht werden.

b) Ist das Kreuz die Heilswirklichkeit der Versöhnung?

Ein zweites hängt damit zusammen: Wie steht es denn, von hier aus gesehen, also von der Auferstehung her gesehen, mit dem Kreuzestod Jesu? Wenn ich Herrn Kollegen Fuchs recht verstehe, dann würde er doch wohl sagen — er hat es wenigstens geschrieben: Der Kreuzestod Jesu ist ein Zeugnis, eine Kulmination dieser Haltung der sich hingebenden Liebe, in der eben wieder Tod und Leben in Einheit sichtbar werden. Ich habe nichts dagegen, daß man auch einmal so etwas sagen kann, aber das ist doch nur eine Randbemerkung. Das Zentrale im

Neuen Testament über das Kreuz, das wissen Sie doch alle, ist
etwas anderes. Ich frage noch einmal: Was heißt das nun, wenn das
Neue Testament, freilich in verschiedener Sprache, sagt: »Das ist das
Lamm Gottes.« »Hier ist Versöhnung geschehen.« »Hier ist Stellvertretung!« »Und das Blut Jesu Christi, seines Sohnes, macht uns rein von
allen Sünden«? Das *Blut*, nicht eine Idee, auch nicht nur ein Wort, auch
nicht nur ein Vorbild. Das Blut ist ja nun gerade die Konzentration
dieser sich hingebenden Liebe. Also, ich frage noch einmal, bleibt das
alles bestehen: Versöhnung und Stellvertretung und Opfer? Daß es bei
Rudolf Bultmann mythologische Vorstellung ist, das möchte ich nur am
Rande bemerken. Aber es könnte ja sein, daß hier Herr Kollege Fuchs
eine andere Meinung hat. Aber, immerhin, diese Frage muß noch einmal in aller Schärfe gestellt werden. Übrigens, auch da wird noch einmal klar: Die Botschaft von dem Kreuzesgeschehen ist ja nun ein
klassisches Beispiel dafür, daß hier etwas geschieht, etwas geschehen ist,
ohne auch nur einen leisen Beitrag des Menschen. Hier ist eben der
Mensch ausgeschaltet, eben nicht in dieser Rettungstat Gottes. Ich kann
mich mit meinem Glauben nicht aus dem Sumpf herausziehen. Das kann
ich nicht. Ich *werde* herausgezogen. Das ist das Kreuz! Also, hier wird
noch einmal ganz klar, daß eben diese Formulierung, die von der »Einheit von Leben und Tod in der Liebe« spricht, zweideutig ist. Natürlich
sagt dann Herr Kollege Fuchs: Das ist ja nicht so gemeint, und Ihr dürft
das nicht so ernst nehmen, und man kann es auch anders ausdrücken.
Ja, aber warum, warum drückt man es dann nebelhaft aus, wenn man es
klar ausdrücken kann? Ich würde demgegenüber sagen: Das muß ganz
kristallklar sein: Hier geschieht etwas pro me, pro nobis, ob ich nun
glaube oder nicht glaube, ob ich ein Lästerer bin oder mich zur Nach-
folge entschließe. Zunächst einmal ist dieses Fundament einfach da. »Da
wir noch Feinde waren«, heißt es ja, »ist das geschehen.« »Noch Feinde
waren«, wo also noch gar kein Glaube erwartet werden konnte. Das ist
doch das Große. Also, nicht wahr, wieder komme ich auf das Entscheidende, ja, ich bekenne mich dazu: Zu der Heilswirklichkeit, oder sagen
Sie auch: Heilsfaktum, wenn das vielleicht noch präziser klingen mag.
»Faktum«, dann aber bitte nicht verstanden als ein Faktum, wie wenn
Cäsar den Rubikon überschreitet, oder wenn Augustus seinen Thron
besteigt. Das sind auch Fakten. Kreuz und Auferstehung aber sind
Fakten anderer Qualität! Und da möchte ich doch noch mal aussprechen,
damit die, welche nun auf der anderen Seite stehen, mich nicht falsch
verstehen: Heilsfakten können und dürfen nie bewiesen werden. Wenn
einer mir das in die Schuhe schiebt, dann kann ich nur sagen: Eigentlich ist das ungehörig, denn er hat ja dann keine Zeile von dem ge-

lesen, was ich reichlich gedruckt habe. Also: Keinen Beweis! Es gibt nämlich hier auch keinen historischen Beweis. Es gibt keinen psychologischen Beweis. Insofern ist das Fingeraufheben von Herrn Fuchs richtig, indem er sagt: Erkenntnis der Heilsvorgänge ist nur im Glauben möglich. Aber die Heilsvorgänge bedingen den Glauben. Sie sind vorgegeben. Aber Erkenntnis gibt es nur durch den Glauben. Also, ich meine, das ist doch jetzt klar ausgedrückt.

c) Gibt es eine persönliche Beziehung zu Jesus?

Ich komme noch zu einem dritten Punkt. Es wäre wirklich schön, wenn Sie, verehrter Herr Kollege Fuchs, dann einfach, ganz redlich und ganz klar, einfach einmal sagen würden »Ja« oder »Nein«, »Ja« oder »Nein«. *Klopfen und Zischen in der Gemeinde.*
Künneth: Und zwar meine ich das an folgendem Punkt: Wenn Sie sagen: »Ja, Auferstehung, natürlich ist er auferstanden; das ist eine Selbstverständlichkeit, aber davon reden wir nicht«, so genügt mir das einfach nicht. Und zwar deswegen nicht, weil ich hier dickköpfig wäre, sondern deswegen, weil einfach das Neue Testament dem zuwider ist. Das Neue Testament erlaubt das nicht. Das Neue Testament fordert von mir, daß ich darüber Auskunft gebe, daß ich darüber etwas sage. Es hängt einfach jetzt an den Konsequenzen, die sich aus der Auferstehungswirklichkeit ergeben. Und darum lautet meine ganz präzise Frage — ich weiß wohl, Sie lieben diese Pistolenschüsse nicht, aber hier geht es ja nicht um das, was man liebt oder nicht liebt, sondern es geht hier einfach um die Sache; ich würde also so fragen: Gibt es seit der Auferstehung bis heute eine Personalbeziehung zu dem auferstandenen Herrn oder nicht? Ja oder nein? Gibt es das oder nicht? Was heißt Personalbeziehung? Das heißt, daß dieser Jesus Christus das Gegenüber seiner Kirche ist und zugleich in seiner Kirche, wie ich heute früh ja nur andeuten konnte, präsent ist und daß er zugleich das Gegenüber ist, gleichsam der Gesprächspartner. Ich möchte doch meinen, auch für den einzelnen Christen ist die Zusage, daß ich ihn anreden kann und darf, daß es ein Gebet zu dem lebendigen Kyrios gibt, entscheidend. Oder gibt es denn nur ein Beten wie Jesus? Das wäre etwas ganz anderes. Es ist sicher etwas Großes, aber das trifft ja wieder die Sache nicht. Wollen wir doch hier nicht ausweichen! Wollen wir hier doch einmal bei der Stange bleiben. Man kann doch einfach zugeben: »Nein, das halte ich für falsch.« Gut, dann hält man es für falsch. Ich würde allerdings

sagen, daß man sich dann im Widerspruch zum Neuen Testament befindet, das eindeutig den Erhöhten verkündigt.

Noch eine Bemerkung. Das, was uns heute über den Glauben gesagt worden ist, ist unbefriedigend. Daher frage ich: Ist das wirklich das Spezifikum und der eigentliche Inhalt, die eigentliche Substanz des neutestamentlichen Glaubensverständnisses? Darauf kann nur rund geantwortet werden: Nein, das ist es nicht. Es ist hier eine Reduktion des Glaubens vorgenommen, wie sie meiner Ansicht nach kaum überboten werden kann. Halten wir folgende Situation fest: Warum genügt es denn nicht, wenn man immer wieder auf den Glauben zurückgeht und erklärt: Ich glaube und du mußt glauben und das Glauben wie Jesus und sein Glaubensvorbild ist wichtig, und der Glaube muß sich dann in der Liebe vollenden, und ich muß bereit sein zu Opfern und Leiden und von all diesen Dingen reden, die ich nicht bestreite? Sie sind nicht das Eigentliche! Sehen Sie, das ist eine fürchterliche Erfahrung: Es gibt auch für Christen, *auch* für Christen, d. h. also für solche, die glauben, Situationen, in denen sie in der Anfechtung stehen. Und die Anfechtung ist so furchtbar, daß sie uns sagen: »Ich kann nicht mehr glauben!« Haben Sie schon einmal einen nahestehenden Menschen sagen hören: »Ich kann nicht mehr beten«, obwohl Sie wissen, daß er ein Christ ist? Das gehört mit zu den furchtbarsten Erfahrungen, die ein Mensch machen kann: »Ich kann nicht mehr beten.« Soll ich ihm dann sagen: »Glaube, glaube, glaube wie Jesus usw. usw.!« Das kann ich doch nicht. Da gibt's aber eine andere Antwort. Da kann ich ihm sagen: »Sei getrost, ein anderer ist da, der für dich eintritt. Ein anderer ist da, der das Amt der Fürbitte vollzieht, ganz real, nicht als Wunschtraum, nicht als Postulat, sondern es ist Wirklichkeit: Der Auferstandene tritt für dich ein!« Ich habe das nur angedeutet im Blick auf die denkbare Anfechtung. Ich könnte es genauso sagen im Blick auf die Schuldfrage, aber das würde jetzt zu weit führen.

Und schließlich noch eine letzte Konsequenz. Sie sagten: »Jesus nimmt Gott für den sündigen Menschen in Anspruch.« Das war wohl eine wichtige Definition. Ich frage: Haben die Propheten das nicht auch getan? Hat der Täufer Johannes das nicht auch getan? Finden wir die Inanspruchnahme Gottes für die Sünder nicht auch in den Psalmen? Das kann doch nicht das Spezifikum sein. Da muß doch etwas anderes da sein, wenn ich eine sachkundige Aussage über Jesus mache. Da muß doch von seinem Opfertod, von dem hohenpriesterlichen Amt des erhöhten Herrn geredet werden!

d) Wo bleiben Eschatologie und Parusie?

Und daraus ergibt sich das Letzte, die Konsequenz in bezug auf die Eschatologie. Es wurde uns heute gesagt, daß natürlich die Eschatologie bejaht würde, aber sie könnte sich konzentrieren in dem Satz: »Die Liebe geht nicht zurück.« So war es doch wohl? Das heißt doch: In der Liebe selber liegt die Hoffnung auf ewiges Leben, die Erwartung, daß es eben irgendwie weitergeht.

Fuchs: Meine Meinung . . .

Künneth: Gut, das habe ich also richtig interpretiert, ja, danke.

Gewiß, man wird auch einmal diesen Satz so sagen können. Ich habe ja selbst darüber geschrieben, inwiefern gerade Herz- und Kernpunkt des offenbarenden Handeln Gottes Gottes Liebe ist. Und daß gerade Gottes Liebe in einer einzigartigen Dokumentation sich in der Auferweckung Jesu darstellt. Insofern ist es richtig: Die Liebe wird sich vollenden. Aber sollen nun all die anderen Aussagen des Neuen Testaments über die Erfüllung und die Vollendung einfach ausgeklammert, eliminiert werden? Wenn ich bloß von dem liebenden, gläubigen Verhalten Jesu ausgehe, dessen Individualität mich nicht einmal interessieren soll, und wenn ich dann nicht einmal wage, über die Auferstehung Jesu eine nähere Auskunft zu geben, indem ich darauf verzichte zu bezeugen, der Auferstandene ist »der Erstling derer, die entschlafen sind; und mit ihm beginnt die große Weltbewegung« der kommenden Vollendung, wenn ich das alles nicht mehr sagen kann, ja, was bleibt denn dann übrig? Soll ich dann behaupten im Gegensatz zum Neuen Testament, das alles seien ja »mythologische« Vorstellungen, man weiß es nicht genau, und es könnte so sein und auch anders sein, man weiß das nicht. Ja, dann gibt es einfach ein schreckliches eschatologisches Defizit, eine Fehlanzeige. Dann schrumpft die christliche Hoffnung auf einen Punkt zusammen! Hoffnung, was meint sie? Das weiß ich nicht. Es wird schon irgendwie weitergehen. Gottes Liebe wird sich durchsetzen. Richtig, das ist keine Kleinigkeit, wahrhaftig nicht! Aber diese Liebe Gottes ist eben im Neuen Testament auch wieder so konkret, so real, so inhaltsreich und gefüllt, daß ich mehr Aussagen darüber machen muß! Was wollen Sie sagen über eine neue Leiblichkeit? Was wollen Sie sagen über die Identität des Entschlafenen in der Auferstehung? Freilich ist der Gerichtsgedanke erwähnt worden. Es ist sehr gut, daß das nicht vergessen wird. Aber dann doch erst recht der gewaltige Triumph: »Der Tod ist verschlungen in den Sieg« *durch* den Auferstandenen. Und dann Erwartung, Erfüllung in einer neuen Welt, in einem neuen Kosmos. Das sind doch alles eminent bedeutungsvolle Erkenntnisse auf dem Grund der Auferstehung Jesu! Wie wollen Sie, meine Herren und Brüder, darüber predigen, wenn Sie immer nur sagen können: »Ja, es wird schon etwas geben, aber Näheres kann ich jetzt gar nicht darüber sagen.«

Und dem entspricht auch, was ich heute früh angedeutet habe: Die Aussage über die Parusie. Ich möchte noch einmal die Frage stellen: Was wird aus der Aussage, aus der Verkündigung der Parusie? Das ganze Ende des Kirchenjahres ist erfüllt von diesen Aussagen. Ja, nun möchte ich nur wissen: Wie wollen Sie mit dieser Miniaturchristologie die letzten Wochen des Kirchenjahres bestreiten? Da möchte ich einmal sehen, was dabei herauskommt. Sie können doch nicht immer das gleiche sagen. Sie haben Ihre Texte, und dann haben wir in unserer Kirche noch eine Agende, die gefüllt ist mit all den eschatologischen Zukunftsaussagen. Wie wollen Sie damit fertig werden? Da können Sie nur sagen: »Sammlung von Mythologien!« »Legendäre Vorstellungen!« Aber so können Sie doch nicht als Prediger und Lehrer in der Kirche arbeiten!

Und nun frage ich eben noch einmal: Stimmt diese eschatologische Verkürzung mit dem Anliegen des Neuen Testaments überein? Was heißt denn Parusie? Wiederkunft des lebendigen Christus als der Kyrios, der nun sichtbar wird vor aller Welt, nach Philipper 2. Das ist doch die Manifestation, die Enthüllung des Auferstandenen vor aller Welt. Diese Parusie ist der einzige Gottesbeweis, den es gibt. Aber dieser Gottesbeweis und dieser Christusbeweis wird nicht von uns Menschen geführt, sondern von Christus selbst.

Weitere Fragen aus dem Plenum

Tagungsleiter: Jetzt haben sechs Herren sich noch gemeldet und können das Wort bekommen. Darf ich noch einmal fragen, ob jemand von Ihnen bereit ist, aufs Wort zu verzichten? Es scheint nicht so. Dann würde ich bitten, daß Sie sich in der Zeit doch sehr beschränken. Herr . . .

6. Eine Frage an E. Fuchs:
Genügt nicht die Erfahrung mit dem lebendigen Herrn als Beweis der Auferstehung?

6. Diskussionsteilnehmer: Ich habe mich sehr gefreut, daß klar gesagt worden ist, daß keiner die Aussagen der Bibel historisch und juristisch beweisen kann. Ich bin der Überzeugung, das haben wir nicht nötig. Aber ich bin der Überzeugung, man kann auch nicht das Gegenteil beweisen. Herr Professor Fuchs hat gesagt: »Paulus ist kein Zeuge der leiblichen Auferstehung.« Ich bin der festen Überzeugung, daß er diesen Satz auch nicht historisch beweisen kann. Ich habe als Pfarrer oft Lebensbescheinigungen zu unterschreiben. Da bin ich bei keiner Geburt dabeigewesen und kann dennoch bezeugen, daß der Betreffende lebt. Ich brauche nicht bei der Auferstehung Jesu dabeigewesen zu sein, um zu bezeugen, daß er lebt. Und die Jünger sind nicht bei dem Akt dabeigewesen, aber sie haben ihn als Auferstandenen gesehen und konnten bezeugen, daß er lebt. Und das ist mir doch von ungeheurer Wichtigkeit. Warum soll ich nicht den Jüngern glauben, daß Jesus wirklich auferstanden ist? Warum soll ich nicht glauben, daß ihr Zeugnis von dem leeren Grab und die Lehre von der Erscheinung des Auferstandenen tatsächlich historische Wirklichkeit ist? Warum soll ich Ihnen das nicht abnehmen? Muß ich den Historikern und juristischen Argumenten, Meinungen und Worten, die ganz unsicher belegt sind, mehr trauen als dem Zeugnis der Jünger? Ich bin der Überzeugung: Weil ich meine Erfahrungen mit dem lebendigen Herrn persönlich machen kann, ist das für mich Beweis genug, daß er auferstanden ist und lebt.

7. Eine Frage an E. Fuchs:
Gibt es nicht im Neuen Testament bloß Liebe als Frucht des Heiligen Geistes?

7. Diskussionsteilnehmer: Herr Professor Fuchs! Heute nachmittag erklärten Sie: »Wer von der Auferstehung spricht, der muß sich an die Einheit von Tod und Leben in der Liebe halten.«
Ich möchte ihn bitten, das näher zu erläutern. Ich habe aus seinen Ausführungen es bisher nicht verstanden, was das heißt: »Einheit von Tod und Leben in der Liebe.« So viel ich aus seinen Ausführungen bisher erkannt habe, versteht Herr Professor Fuchs Liebe als eine Kraft, die in allen Menschen wirksam ist. Er hat ja ausdrücklich auch noch heute vom Mohammedaner gesprochen. Dazu möchte ich noch einmal sagen, was Herr Professor Künneth schon betonte — so habe ich ihn jedenfalls verstanden: Liebe, *agape* — im Gegensatz zu *philia* —, ist im Neuen Testament nicht eine Fähigkeit des natürlichen Menschen. Ich glaube, wo sie überhaupt bezeugt wird, ist sie eine Gabe oder eine Frucht des

Heiligen Geistes, ist sie eine Kraft eines neuen Äons und nicht des alten vergehenden Äons. Ich erinnere da an das Wort Jesu: »Ein neues Gebot gebe ich euch, daß ihr euch untereinander liebet, wie ich euch geliebt habe.« Ich erinnere an Röm. 5: »Die Liebe Gottes wird ausgegossen in unser Herz durch den Heiligen Geist.« Ich erinnere an Galater 5, wo es heißt, daß die Frucht des Heiligen Geistes die Liebe ist als erste und größte Frucht. Und dann 1. Kor. 13, was ja von Herrn Professor Fuchs ausdrücklich hier in seiner These angeführt wird. Es heißt: »Die Liebe hört nimmer auf.« Das heißt: Sie ist aus dem neuen Äon. Wer lieben will, der hat Gott im Herzen. Diese Liebe kann nur ein Mensch haben, der den Heiligen Geist hat. Wenn nun Herr Professor Fuchs etwas anderes behauptet, dann möchte ich wissen, woraufhin sollen wir ihm mehr glauben als der Bibel?

Tagungsleiter: Da meldet sich noch jemand ganz hinten!

8. Diskussionsteilnehmer: Ein Antrag zur Tagesordnung: Könnte es vielleicht möglich sein, daß Herr Professor Fuchs auch Gelegenheit erhält, zusammenhängend noch einmal einige Thesen zu erläutern wie auch eben Herr Professor Künneth?

Tagungsleiter: Ja, das ist längst geplant!

8. Eine Frage an E. Fuchs:
Ist nicht Christi Handeln für mich (pro me) entscheidend?

9. Diskussionsteilnehmer: Ich habe mich zu dieser Tagung vorbereitet. Da ist mir beim Lesen der Schriften von Herrn Professor Fuchs aufgefallen, daß es ihm ganz bestimmt um Gnade geht, also, daß Gott Gemeinschaft mit den Sündern macht. Ich habe freilich immer das gesucht, was ich bei solchen Aussagen eben erwarte, daß nämlich diese Gnade, diese Rechtfertigung, diese Liebe, daß dies nur möglich ist, weil Jesus Christus an meiner, an unser aller Seite das Gericht Gottes auf sich genommen hat und so ein neues, ja, ein Gnadenwort überhaupt erst möglich wurde. Und leider ist, wie es auch schon heute morgen geschehen ist, auch aus anderen Schriften von ihm zitiert worden, und da habe ich gemerkt, daß bei ihm auf den großen Taten Christi für uns kein großer Akzent liegt. Ja, und hier möchte ich vielleicht mal etwas sagen zu der Überzeugung, daß Sie sich seelsorgerisch um die Menschen bemüht haben. Aber ich muß auch bezeugen, daß die Art, wie Sie das getan haben, mir in meiner Seele — um dieses merkwürdige Wort hier einmal zu gebrauchen — sehr weh getan hat. Ja, »Heilstatsächler«, nicht wahr! Ich meine, das muß ich doch wirklich sagen: Meine Existenz hängt an dem, was Christus für mich getan hat. Als der erste Diskussionsredner hier gerade von den großen Taten Gottes geredet hat, da haben Sie auch so lächelnd darauf geantwortet. Das muß ich wirklich sagen: Das ist für mich kein Seelsorger gewesen.

9. Zwei Fragen an E. Fuchs

10. Diskussionsteilnehmer: Ich möchte zugleich für meine Kollegen auch mitsprechen. Wir sind gebeten worden, von der lutherischen theologischen Hochschule in Oberursel, die übrigens seit vielen Jahren vom Staate Hessen als Hochschule anerkannt ist . . .
Stimme aus der Gemeinde: Wir sind hier nicht in Hessen!
Lautes Lachen in der Gemeinde.
10. Diskussionsteilnehmer: Wir sind hier zwar nicht in Hessen, aber immerhin! Wir wollen unser Hessen auch ein bißchen verteidigen. Sie waren also großzügig, wollen wir mal so sagen. Also, wir sind gebeten worden, hierher zu kommen und anwesend zu sein und auch das Wort zu ergreifen. Und ich möchte das in kurzer Weise tun. Und ich vertrete zugleich auch die evangelisch-lutherischen Freikirchen, denn die Hochschule wird erhalten von den evangelisch-lutherischen Freikirchen. Und nun möchte ich folgendes zu der ganzen Diskussion sagen, die ja nun schon so weit gediehen ist, daß man auf das Schlußwort bereits wartet, wo man sich also nur noch einschieben kann.

a) Muß die Exegese nicht den Wortlaut der Bibel genauer beachten?

Ich möchte erstens dies sagen: Wenn man schon die Exegese vertritt, dann sollte man auch m. E. den Wortlaut der Stellen, die da stehen, vertreten. Wenn man den Wortlaut selbst der Hauptstellen nimmt, wie 1. Kor. 15, was ja auch von beiden Thesenstellern extra angeführt wird, dann stellt sich gerade dieses *Gefälle* in diesem Kapitel aufs allerdeutlichste. Es ist ganz offenkundig, daß Paulus sogar fragt oder sagt: »Ist Christus nicht auferstanden, so ist der Glaube eitel.« Und vorher hat er auch die Verkündigung *kenä,* eitel, genannt. »So seid ihr noch in euren Sünden, so sind auch die, so mit Christus entschlafen sind, verloren. Hoffen wir allein in diesem Leben auf Christum, so sind wir die Elendesten unter allen Menschen. Nun aber ist Christus auferstanden und der Erstling geworden unter denen, die da schlafen.« Das ist bloß einer von diesen Zusammenhängen in diesem Kapitel. Also, wenn

schon Exegese betont werden soll gegen Systematik, dann müßte doch
auf jeden Fall der Wortlaut dessen, was da steht, betont werden. Aber
Paulus sagt noch viel, viel mehr. Sehen Sie sich zu Hause bloß mal das
Ende des Kapitels an!
Lautes Lachen in der Gemeinde.
10. Diskussionsteilnehmer: Ich meine jetzt nicht das Ende von der
Auferstehung, sondern das, was noch dahinter steht. Dann werden Sie
merken: Der ganze Zusammenhang von der furchtbaren Schuld des
Menschen, von dem Gesetz, das uns schuldig spricht, das die Kraft der
Sünde ist, alles das steht da. Und der Sieg Christi ist dieser Sieg, daß
er die Sünde auf sich genommen hat. Ich weiß nicht, was wir für merkwürdige Menschen unter uns denn vielleicht in unserem 20. Jahrhundert
haben. Aber die Menschen, mit denen Paulus rechnet, sind die Menschen, die total schuldig sind und deren Schuld Christus, und zwar der
lebendige Christus, der Gottes ewiger Sohn ist, auf sich genommen
hat . . .
Und dann dieser Zusammenhang, aus dem auch klar wird, was verbum
ist, was Wort ist, was Wort Gottes ist. Dadurch wird auch klar, was
apostolisches Wort ist, was die Autoritätsstellung des Wortes ist, was
die Quelle dieses Wortes ist. Damit wird aber auch klar, was der
Glaube, was *pistis* und *pisteuein* eigentlich ist. Und dann wurde ja von
einem der Vorredner schon sehr schön gesagt, was die Liebe in diesem
Gefälle dann eigentlich ist.

b) Muß Luther nicht genauer beachtet werden?

Und dann will ich noch einen Sprung machen zu Luther, da wir ja nun
von der lutherischen theologischen Hochschule kommen
Und da will ich in bezug auf Luther noch dies sagen: Wer kann denn
Luther überhaupt so lesen, daß er nicht merkt das *Gefälle* bei Luther,
um diesen Ausdruck zu wiederholen. Nehmt doch die Schmalkaldischen
Artikel, die Majestätsartikel voran! In Artikel 1, wo man mit den
Römischen auch einig ist. Der Luther existiert ja gar nicht ohne das.
Nehmen Sie ferner den zweiten großen Teil der Auseinandersetzung,
den sog. »Holzartikel« in 2, 1! Der Luther existiert ja gar nicht ohne
das. Nehmen Sie den ganzen Begriff des Wortes Gottes aus der Schrift
bei Luther. Da ist jetzt eine Monographie vor ein paar Jahren im Dä-
nischen herausgekommen, die leider noch keiner von unseren jungen
Herren oder Herren in mittleren Jahren übersetzt hat, eine ganz aus-
gezeichnete Sache von einem gewissen Taylor.

Zischen in der Gemeinde.
Tagungsleiter: Bitte, bitte, bitte!
10. Diskussionsteilnehmer: Die könnte ruhig mal übersetzt werden.
Bitte, ausgezeichnet, sehr, sehr viele Zitate.
Lachen in der Gemeinde.
10. Diskussionsteilnehmer: Sie würden sich über vieles klar werden,
sowohl dessen, was Petersen sagt, als auch dessen, was er an Luther
gewonnen hat. Ich meine, wenn wir Luther fragen, was Wort, was
Schrift ist, dann ist Luther ein grober Klotz auf unserem Weg, ein
Riesenberg. Und wenn wir Luther fragen, was denn Glauben eigentlich
ist, dann ist das nicht so ein Ding, ein amorphes Ding, sondern bei
Luther kommt z. B. diese Definition, die ganz typisch ist: Fides — also
Glaube — est habere verbum in corde, nämlich, das Wort im Herzen
haben und an dem Wort nicht zweifeln. Das ist Luthers Standard-
definition von Glauben. Da meint er natürlich das Wort des Evangeliums gegenüber dem Wort vom Gesetz. Da können wir nicht mit
diesen Sprüchen von *Gläubigkeit* irgendwie durchkommen. Das sind
äußerst konkrete Dinge. Und nun zum Abschluß noch etwas!
Zischen in der Gemeinde.
Tagungsleiter: Bitte, bitte, bitte!
10. Diskussionsteilnehmer: Um bei Luther zu bleiben, so brauchen Sie
in der großen Schrift vom Abendmahl bloß nachzulesen, wie Luther
ringt mit den Schweizern und mit Oekolampad und mit deren Glau-
bensbegriffen.
Tagungsleiter: Die Zeit ist um!
10. Diskussionsteilnehmer: Und dann am Ende noch: Es geht im
Grunde genommen um die Entscheidung von Kirchen und Kirchen,
denn die Entscheidung zwischen Theologien und Theologien ist eine
Entscheidung zwischen Kirchen und Kirchen, Bekenntnissen und Bekenntnissen. Unsere Christen wollen bekennen, und sie wollen bekennen mit dem zweiten Artikel des Katechismus, ohne jede Einschränkung.

10. Zwei Fragen an W. Künneth:

*a) In welchen Kategorien kann die Wirklichkeit der Auferstehung aus-
gesagt werden?*

11. Diskussionsteilnehmer: Ich habe zwei Fragen an Herrn Professor
Künneth. Die eine klingt nahezu rationalistisch: In welchen Kategorien

wollen Sie über die Wirklichkeit des auferstandenen Christus Aussagen machen? Wo ist er, wie ist er, was ist er? Und zwar angesichts
dessen, daß der grobe Klotz Luther die rechte Hand Gottes so interpretiert, wie er es in seiner Weise getan hat?

*b) Ist nicht der Glaube immer schon dabei, wenn Gottes Wort laut
wird?*

Das Zweite: Heute morgen waren mir bei dem, was Herr Professor Fuchs
sagte, immer zwei Worte Luthers im Ohr. Das eine: »Außerhalb des
Glaubens verliert Gott seine Gottheit, seine Gerechtigkeit, seinen Reich-
tum usw.« Und andererseits das bekannte Wort: »Der Glaube ist
creatrix, der Schöpfer der Gottheit in uns.« Aus der Situation, meine
ich, in der Luther diese Worte gesagt hat, aus *der* Situation treibt Herr
Professor Fuchs — so verstehe ich es — Theologie. D. h.: Ist nicht der
Glaube immer schon dabei, wenn das Wort Gottes laut wird, wenn
etwa der Amos behauptet, Gottes Wort vernommen zu haben und es zu
sagen? Was heißt denn das, da Gott nicht irgendwie senkrecht vom
Himmel auf göttliche Weise hier redet? Heißt es denn etwas anderes,
als daß er, der Amos, glaubt, daß Gott zu ihm geredet hat in dem, was
ihm widerfahren ist und was er nun weitersagt in der Weise, wie er es
tut, weil er es weitersagen muß als: »So spricht der Herr«?

11. Allgemeine Frage:
*Muß die Kirche nicht ‚Anathema' sprechen, wenn die Tatsächlichkeit
der Auferstehung geleugnet wird?*

12. Diskussionsteilnehmer: Es geht doch in der Diskussion letzten
Endes immer wieder um die Tatsächlichkeit der Auferstehung Jesu
Christi von den Toten. Und ich meine, das ganze Neue Testament bezeugt völlig klar die Tatsächlichkeit der Auferstehung Jesu Christi von
den Toten. Das wird erhärtet: 1. durch die Betonung des leeren Grabes,
2. durch die Betonung der Leiblichkeit des Auferstandenen: Er hat sich
gezeigt, er ist betastet worden, er hat sogar gegessen und getrunken. Es
wird 3. erhärtet dadurch, daß die Apostelgeschichte davon spricht, und
zwar eindeutig davon spricht, daß sein Leib die Verwesung nicht gesehen habe. Es wird 4. erhärtet durch das, was schon zitiert worden ist
aus 1. Kor. 15: »Ist Christus nicht auferstanden, ist unsere Predigt
leer«, eine leere Hülse. Und mit dieser leeren Hülse sind wir nicht mehr

wirklich Jesu Christi. Wenn in unserem Glaubensbekenntnis der Satz steht: »Am dritten Tage auferstanden von den Toten«, und wenn in der Augsburger Konfession im dritten Artikel gesagt wird: »Vere resurrexit«, wahrhaftig auferstanden, dann ist also die Tatsächlichkeit der Auferstehung Jesu Christi bezeugt. Und wenn diese Tatsächlichkeit der Auferstehung Jesu Christi in Frage gestellt werden sollte, dann ist das Häresie, und die Kirche kann nur eins sprechen dagegen: *Anathema!*

Klopfen und Zischen in der Gemeinde.

Tagungsleiter: Wir sind jetzt am Ende der Diskussionsbeiträge aus der Gemeinschaft dieses Tages. Vor uns liegt noch das Schlußwort von Herrn Professor Fuchs, von Herrn Professor Künneth und von Herrn Landesbischof Dr. Lilje. Es beginnt Herr Professor Fuchs mit seinem Schlußwort.

V

Schlußworte

1. Schlußwort von Professor Fuchs

a) Die Tagung hat sich zum Tribunal gewandelt

Fuchs: Ja, ich möchte eigentlich am liebsten verzichten, muß ich gestehen. Aber das würde falsch verstanden. Und so will ich doch wenigstens ein klein wenig noch meinerseits etwas zu der Aussprache an
diesem Tage sagen. Ich habe sehr viel heute gelernt. Und ich möchte zu
der Art, wie Sie zum Teil hier diskutierten, sagen: Das sind doch keine
Diskussionsfragen, wenn sie mit ›Anathema‹ usw. endigen! Dann ist es
eben eine Konzilsversammlung oder so etwas, und die Szene wandelt
sich zum Tribunal. Nun will ich gar nicht bestreiten, daß das unter
Umständen möglich ist und vielleicht in ganz anderer Weise, als Sie
das ahnen. Aber man *sollte* vorsichtiger sein. Man sollte auch ge-
duldiger miteinander umgehen.
Herr Kollege Künneth, ich möchte Ihnen das nicht absprechen. Also,
Sie haben mir schon scharf zugesetzt, vor allem auch am Schluß. Da
ging es schon ein bißchen auch so in die Richtung. Aber daß Sie doch
sich bemüht haben, was ich eigentlich so ein bißchen von einer solchen
Aussprache erwarten muß, finde ich, das möchte ich Ihnen doch ausdrücklich bescheinigen. Ach Gott, wir kommen so wenig zusammen.
Das muß man beizeiten sagen, ja, das ist wahr.

b) Das Deklamieren von rhetorischen Fragen und Bekenntnissen ist dem Ungeheuren der Anfechtung nicht gewachsen

Aber nun, meine Damen und Herren, liegt mir alles nicht so am Herzen jetzt, sondern viel wichtiger ist mir etwas ganz anders. Ich finde
nämlich, man müßte dies lernen, daß man sich vor dem Deklamieren
in acht nimmt. Viele Voten waren Deklamationen. Ja, ich bin vielleicht

selber auch gelegentlich in diesen Stil verfallen. Das ist leicht möglich.
Das ist dann fast — das hängt auch mit der Größe und den konkreten
Umständen der Versammlung zusammen — fast nicht anders möglich.
Aber ich finde dies: Was Sie immer wollen mit Ihrer Tatsächlichkeit?
Da haben Sie gar nicht begriffen, worum es überhaupt geht. Nicht
wahr, es ist jetzt das Schlußwort. Jetzt muß ich auch eindeutig reden:
Sie haben *nichts* verstanden! Das ist *meine* Meinung. Das Problem besteht doch darin, daß auf uns in der Normallage — wahrscheinlich war
das früher auch schon so, wenn man genau guckt — die bloße Versicherung der Tatsächlichkeit der Auferstehung Jesu Christi überhaupt
keinen Eindruck macht. Täuschen Sie sich doch nicht! Warum macht
das auf uns keinen Eindruck? Weil wir furchtbar angefochtene Menschen sind. Wahrscheinlich haben wir das verdient. Denken Sie doch,
was alles passiert ist! Da ist also ein Schwesternheim im Bombenhagel
in Stuttgart untergegangen und die Kinderärmchen sind durch die Luft
geschwirrt, und die Schwestern haben gesagt — ja, das ist wahr — die
Schwestern haben gesagt: »Ja, wie kann das an unserem Haus oder an
Gottes Haus passieren?« Weil sie nicht das Gefühl gehabt haben, daß
sie so etwas verdient hätten. Und wahrscheinlich hatten sie damit auch
recht. Nicht wahr, das ist das, was ich da veranschaulichen will, was
ich auch mit dem Autounfall meinte: Es gibt doch einfach Aspekte des
Ungeheuren. Und diese Aspekte des Ungeheuren, ich kann sie nicht
überspringen. Und ich finde nun, wenn man sie überhaupt kennt, wenn
man sie nicht verdrängt durch Bewußtseinserfüllungen ganz anderer Art,
ja, dann plötzlich merkt man, daß es dem Neuen Testament — und vor
allem auch Jesus selber gegenüber — angebracht ist zu fragen, ob auch
Jesus diese Aspekte kennt. Da bin ich nun allerdings Exeget . . . Ich
gebe es zu, da hätte man nach dem Wortlaut gehen können und sollen,
aber machen Sie das mal in so einer Versammlung! Also jedenfalls, daß
man auch Jesus gegenüber sagen muß: Im Blick auf ihn waren alle
diese Leben-Jesu-Darstellungen, auch die von A. Schweitzer, doch einfach harmlos im Vergleich zu dem, was wir ihn heute fragen müssen
aufgrund unserer Erfahrungen. Da bin ich nun allerdings der Meinung:
Ich weiß nicht, ob ich das 'reinlese. Sehen Sie, *das* stelle ich nun nicht
eigentlich zur Diskussion, sondern das lasse ich offen. Kann ja sein.
Aber das würde bedeuten, daß ich das Neue Testament reicher mache,
als es ist. Und das glaube ich nicht. Da halte ich mich dann doch noch
zuerst an meinen Eindruck vom Neuen Testament. Man kann das Neue
Testament nun wirklich verschieden lesen und muß es auch verschieden
lesen, je nach den Erfahrungen des menschlichen Lebens, die man halt
kennt. Und nun ist meine Sorge — ach, vielleicht kann ich so sagen —

also, meine Sorge ist eben einfach die: Gott schenkt es uns doch als Kirche, daß wir es doch nicht auf die billige Tour machen, diese furchtbar billige Tour, die meint, damit, daß man etwas sagt und etwas fühlt und etwas ins Bewußtsein aufgenommen hat, damit sei die Sache nun getan. Das ist nichts! Das zerbricht wie Streichhölzer, wenn's drauf ankommt. Das allerdings, finde ich, hat Luther gewußt.

c) Existentiale Theologie heißt: Theologisch denken und lesen im Blick auf eigene Erfahrungen

Nicht wahr, ich wollte jetzt hier nicht — da dürfen Sie mich nun wieder nicht falsch verstehen — ich wollte nun hier nicht meinerseits etwas Normatives sagen bzw. aufstellen. Dazu habe ich hier gar nicht die Vollmacht. Aber darauf wollte ich ein bißchen aufmerksam machen, weil Sie doch wissen wollten, was existentiale Theologie sein könnte. Ach, auf das Wort kommt wenig an. Es heißt einfach: Theologisch denken bzw. lesen wollen im Blick auf diese schrecklichen Erfahrungen, die uns umwerfen. Wenn Sie meinen, es wirft Sie nichts um … Das ist es nämlich, und darüber kann man nicht streiten. Da kann man sich finden. Und deswegen sind die Erkenntnisse, die man aus dem Neuen Testament schöpft, noch nicht dieselben. Das ist nicht gesagt. Da gibt es noch viele Möglichkeiten des Gesprächs, vielleicht sogar des Streits. Aber es ist doch ein Unterschied: Die einen kommen eben und haben ihre Erfahrungen und bringen sie ein, und die anderen nicht.

Nicht wahr, was Professor Künneth da sagte von dem Mann, der sagt: »Ich kann nicht beten!« Ja, Lieber, das ist doch das *Normale!* Da sage *ich* nun zu Ihnen: Warum bringen Sie das erst am Rand? Nicht wahr, *darum* handelt es sich! Ich will Sie nicht anschreien, lieber Künneth. Das meine ich nicht. Sondern das ist halt bei mir auch Zentrum.

Und dann sage ich: Wenn wir da nicht, ohne unser Zutun — wie das nun mal ist dadurch, daß das Wort in der Tat geht und läuft —, zurückgeworfen würden auf diese Matte in der Halle, die da heißt »Auferstehung Jesu Christi« — allerdings, dann wären wir verloren! Das ist auch meine Meinung. Aber ich muß mich doch nicht im Deklamieren üben, wenn es sich um so innere Dinge handelt!

Meine Damen und Herren, diejenigen, die da am Schluß alle so Zeugnis wollen, warum legen Sie denn Zeugnis ab? Das brauchen Sie mir nicht zu bezeugen! Gehen Sie dorthin, wo es nötig ist! Nicht wahr, das ist ein großer Fehler, wenn man einander ein Zeugnis auferlegt oder spricht, von dem man nicht *ganz* sicher ist, daß es jetzt wirklich fällig

ist. Das ist arg! Also, nichts schlaucht mich mehr, ich kann es nicht anders sagen. Nichts ärgert mich mehr als dies, daß der Pietismus, in dem so viel wahre Kraft steckt . . . Das weiß ich schon länger als Sie. Ich bin 61 Jahre alt. Ich bin in einem pietistischen Land aufgewachsen. Mir machen Sie nichts vor. Da steckt echteste Kraft natürlich. Und man findet auch immer wieder Pietisten, herrliche Leute, die auch der Kirche wirklich eine Hilfe sind. Aber die deklamieren nicht! Na ja . . .
Also, da müßten wir gegenseitig, wenn es Ernst würde, noch viel voneinander lernen. Das ist klar. Ein bißchen anstrengend ist das so in dem Stil. Sie haben manche unter Ihnen . . . Also, ich hab' es vielleicht auch falsch gemacht, ich weiß es auch nicht. Ich hab' halt gar keine Erfahrung. Ich hab' nicht kneifen wollen. Ich wollt' kommen und hab' es halt probiert. Ich bin da sehr hilflos in Wirklichkeit. Aber ich hab' so das Gefühl gehabt, einige hätten mit mir auch ein ganz klein bißchen . . . nicht freundlicher, das will ich nicht sagen. Man kann sehr scharf miteinander umgehen, aber man fühlt sich manchmal dann ein bißchen falsch am Platz. Und wozu? Diese Versammlung hat viele reiche Möglichkeiten. Wenn Sie doch diese Ressentiments, in die Sie so verspannt sind — das hab' ich als Außenstehender nun wirklich gesehen —, wenn Sie das doch wenigstens ließen! Und daß Sie da noch Öl ins Feuer gegossen haben, Sie, Mann von Oberursel, das ist allerdings nicht gut.
Klopfen in der Gemeinde.
Tagungsleiter: Bitte! Herr Professor Künneth hat das Wort.

2. Schlußwort von Professor Künneth

a) Antwort auf die Frage nach den Kategorien für die Rede von der Wirklichkeit der Auferstehung

Künneth: Bei dieser ganzen Aussprache hier in dem Plenum wurde mir nur von einer einzigen Seite eine Auszeichnung zuteil, nämlich durch Sie, Herr . . . (11. Diskussionsteilnehmer). Sie hatten einige Fragen an mich gestellt. Ich habe eigentlich gedacht, ich würde heute eine Fülle von Fragen zu beantworten haben, die aus Ihrem Kreis kommen. Um so dankbarer bin ich für die Anfrage: In welchen Kategorien kann über die Auferstehung gesprochen werden?
Wenn Sie noch einmal zurückdenken an meine erste These, dann wird

das dort insofern schon angekündigt, als ich hier von dem Anbruch der neuen Wirklichkeit, der neuen Schöpfung, sprach. Handelt es sich um eine neue Wirklichkeit, eine neue Schöpfung, dann kann von dieser Wirklichkeit nicht direkt mit dem Vorstellungsmaterial unserer diesseitigen, immanenten Welt geredet werden, sondern nur indirekt, also gleichsam paradox, wie das Neue Testament es ja übrigens auch macht. Das heißt aber, theologisch-systematisch gesagt, ganz konkret folgendes:

1. In personalistischen Kategorien. Personalistisch, es geht ja, das brauche ich nicht zu wiederholen, noch einmal wirklich um die personale Gegenüberstellung des lebendigen Christus, des Kyrios, des Herrn.

2. Es muß zugleich ontologisch geredet werden, denn es geht zugleich um eine neue Schöpfung, eine ‚kainä ktisis', ein neues Sein, eine neue Existenz. Die Begriffe nehmen wir eklektisch aus dem Steinbruch der Geistesgeschichte der Philosophie. Wir sind der Meinung — ich sage »wir«, weil ich hier mich mit vielen meiner Freunde und Kollegen eins weiß — wir sind der Meinung, daß es nicht möglich ist, nur in der Sprache einer ganz bestimmten zeitgenössischen Philosophie zu sprechen. Ich habe gegen gewisse existentialistische Termini gar nichts. Aber ich meine, es können ruhig auch andere Begriffe mitverwendet werden, um diesen Sachverhalt auszusprechen. Also ontologisch, das Zweite.

Nun zusammenfassend das Dritte: Ich möchte sagen, die Christuswirklichkeit des Auferstandenen trägt die Züge der Wirklichkeit Gottes selbst. Von der Wirklichkeit Gottes, das wissen wir ja alle, soweit wir einmal ein bißchen Dogmatik getrieben haben, kann eigentlich praktisch nur in dreifacher Weise geredet werden. Einmal durch die Methode der Negation. Die »neue« Wirklichkeit bedeutet demnach nicht einfach Restitution, nicht einfach Wiederherstellung des Leibes, im irdischen Sinne des Blutkreislaufes, sondern eine ganz andere Daseinsgestalt. Dazu tritt die zweite Methode der Analogie, wie sie auch Paulus in 1. Kor. 15 anwendet. So etwa: Wie ein Samenkorn verwandelt wird und ein neues Leben entsteht, so wird auch die bisherige diesseitige Leiblichkeit zu einer neuen »himmlischen« Existenzform umgestaltet werden. So ist Analogie gemeint, so können wir darüber reden. Oder der dritte Weg einer Aussagemöglichkeit: Der Weg der Steigerung, via eminentiae, indem ich sage: Wenn hier schon Wertvolles vorliegt, dann kommt es in Christus, in dem Auferstandenen, zur Vollendung. Das Neue Testament ist der Meinung, daß der Auferstandene in einer ›doxa‹ erscheint, in einer Lichtherrlichkeit. Das ist nicht irdisches Licht, das wir fabrizieren, oder irgendwie eine kosmische Lichtquelle, sondern das ist das Licht Gottes. Das sind natürlich alles nur Andeutungen, das sind Begriffe, das sind Möglichkeiten, über diese neue Wirklichkeit zu

reden. Aber wir müssen es ja wegen der vorgeschriebenen Zeit dabei
bewenden lassen.

b) Persönliche Verbundenheit — sachlicher Gegensatz

Gestatten Sie nun noch das eigentliche Schlußwort, das ich auch sehr
kurz halten möchte. Es ist nicht bloß eine Phrase von mir, wenn ich
noch einmal es dem Herrn Kollegen Fuchs danke, wirklich danke, daß
er sich zur Diskussion gestellt hat. Das ist ein Novum! Bisher habe ich
das noch nicht erlebt. Und das ist wirklich schön, daß man einmal persönlich und sachlich über die Dinge sprechen konnte. Und daß Sie es in
menschlich-loyaler Weise getan haben und sogar so, daß man manchmal aus menschlichen Gefühlen heraus in die Versuchung geraten ist,
manches nicht so scharf und pointiert zu sagen, als es sachlich notwendig ist! Sie haben mir am Schluß auch noch ein Lob gespendet, indem Sie sagten, ich hätte manches scharf gesagt. Gerade das ist nämlich
um der Sache willen notwendig gewesen.
Also, bei aller menschlichen Verbundenheit und Verehrung möchte ich
darum — und das muß ich einfach tun — noch einmal sagen: Es hat sich
gezeigt, daß eben, ganz gleich wie und aus welchen Gründen, ein harter,
sachlicher Gegensatz einfach da ist. Das dürfen wir nicht verwischen.
Und es ist Herrn Kollegen Fuchs und mir natürlich auch nicht gedient,
wenn wir irgendwie etwas zusammenbinden wollen, was nun einmal
nicht zusammengebunden werden kann. In der Tat, hier besteht, sachlich
gesehen, theologisch gesehen, ein Gegensatz, eine Kluft. Warum?

c) Nicht Revision, sondern Interpretation des Neuen Testaments

Die von meinem Partner hier gewählten Begriffe und Termini sind
keine adäquaten Verdolmetschungen dessen, was das Wort von der
Auferstehung im Neuen Testament sagen will. Das ist etwas anderes.
Die existentiale Ausdrucksweise vermittelt keine sachgemäße Wiedergabe. Sie sagen, man könne das Neue Testament verschieden lesen. Ja
und nein! Es ist klar, jede Zeit sieht wieder etwas anders. Und für die
eine Zeit und für die andere Zeit ist das wichtig. Es ist auch richtig,
daß jeder sich fragen muß, welche Brille er trägt, wenn er das Neue
Testament liest. Die wichtigen Fragen der Prämissen, des Vorverständ-
nisses, auch der philosophischen Hintergründe wären hier zu bedenken.
Die Verschiedenheit beim Lesen aber darf doch nicht so weit gehen, daß

die jeweilige Brille nicht mehr die eigentliche Sache dessen, was gesagt ist, zu erkennen vermag. Das ist mein Anliegen. Wird aber die Sache verfehlt, dann handelt es sich nicht mehr um Interpretation, sondern um Revision! Die Sache muß stehen bleiben.

d) Keine Eliminierung der Heilswirklichkeit

Zweitens: Noch einmal muß betont werden: die Heilswirklichkeit der Auferstehung, des Auferstandenen, ist von fundamentaler Bedeutung. Und diese Heilswirklichkeit zielt auf den Glauben. Ich bitte das nicht zu überhören. Aber das war ja nun meine Sorge, und ich meine, der Verlauf des heutigen Tages hat das ja nun auch bestätigt, daß die »Heilstatsachen« nicht ernst genommen wurden. Man kann sich drehen und wenden, wie man will, und die Ausdrücke so oder so wählen, die Heilswirklichkeit, das Fundamentum, wurde beiseite geschoben. Das ist wenigstens mein eindeutiger Eindruck. Ich bedaure, daß Herr Kollege Fuchs, wohl aus Zeitgründen, nicht mehr auf die vier konkreten Fragenkreise eingehen konnte, um deren Beantwortung ich bat. Aber ich darf doch noch einmal einfach bitten, noch einmal sich das klar zu machen — es ist mir wirklich ein elementares Anliegen, das auszusprechen: Sind die christologischen Aussagen, die auf diese Formeln gebracht wurden, wie wir sie heute wieder gehört haben und wie Sie sie nachlesen können in den Werken von Herrn Professor Fuchs, sind diese christologischen Aussagen, ist dieses Glaubensverständnis wirklich das, was das Neue Testament sagt? Das müssen Sie genau nachprüfen, und ich möchte meinen, daß man diese Übereinstimmung schwerlich behaupten kann. Das ist ganz unmöglich. Und ich verstehe auch gar nicht, warum man das nicht zugeben will.
Zischen in der Gemeinde.
Tagungsleiter: Bitte!
Künneth: Damit lösen Sie keine theologischen Fragen.
Unruhe in der Gemeinde.
Also, das ist meine nach wie vor entscheidende, elementare Frage: Ist hier die Intention, die Ausrichtung, das Anliegen des Neuen Testaments im Blick auf die Christologie und den Glauben wirklich so ausgesprochen, daß damit der eigentliche Sachgehalt der neutestamentlichen Botschaft von der Auferstehung Jesu nicht aufgelöst wird, nicht zu kurz kommt?
Eine dritte Bemerkung dazu, auf die wir eigentlich nicht eingegangen sind in unserem Gespräch: Was ist denn der Maßstab, mit dem ich das

Neue Testament lese? Nun ist das natürlich jetzt zu viel verlangt, wenn ich das noch ausführen würde. Was ist der Maßstab? Bei Rudolf Bultmann ist es ganz eindeutig. Er würde sagen: das Existenzverständnis, das moderne Existenzverständnis.

Liegt hier nicht einfach eine anthropozentrische Fragestellung und eine philosophische Prämisse vor, welche die theologischen Aussagen usurpiert? Ich bin allerdings der Meinung, daß das Neue Testament ja in der Tat nur nach 1. Kor. 2 verstanden werden kann in einem pneumatischen Erkenntnisring. Entweder stehe ich drin in der Gemeinde, in dieser durch den Heiligen Geist geschenkten Erkenntnis, unter der Botschaft. Dann geht mir etwas auf! Das ist das pneumatische Verständnis in 1. Kor. 2. Oder ich stehe draußen. Dann kann ich zwar geistvoll, historisch und psychologisch und existentialistisch darüber reden und denken. Aber, so frage ich: Ob damit wirklich die eigentliche Sache, um die es geht, erfaßt werden kann? Ich bin der Meinung: Das ist nicht der Fall!

Und schließlich noch einmal das, was ich schon vorhin auszuführen mich bemühte: Wovon lebt die Gemeinde, die Kirche Jesu Christi auf Erden? Sie lebt von dem eigentlichen Zentralen, das ich ja heute, das werden Sie mir zugeben, eindeutig zum Ausdruck zu bringen versuchte.

Noch ein Vorletztes: Ich bin sogar der Meinung, daß der heutige Mensch des technisierten, säkularisierten Zeitalters unserer Welt nur dadurch Hilfe bekommt, wenn ihm, diesem Menschen, der ganz befangen ist in der Diesseitigkeit, wenn diesem Menschen ein Punkt gezeigt wird außerhalb dieser immanenten Welt. Nur dieser Angelpunkt außerhalb seiner fragwürdigen Existenz kann der rettende Punkt für ihn sein. Und das ist nicht der Begriff »Glaube«, und das ist nicht der Begriff »Liebe«, sondern das ist das Zeugnis von dem »lebendigen Christus«. Das ist der Punkt, das ist die Wirklichkeit, die allein retten kann. Und dann, wenn das geschieht, wenn das verkündigt wird, dann freilich kommt der Mensch in eine echte Entscheidungssituation. Sie ist nämlich dann gegeben, die echte Situation der Entscheidung, wenn er mit diesem lebendigen Christus konfrontiert wird. Dann kann er davonlaufen, kann sich ärgern und kann ›Nein‹ sagen. Er kann aber auch sagen: »Ja, Herr, ich glaube.« Das scheint mir das Entscheidende zu sein.

Meine sehr verehrten Damen und Herren! Mir ist in diesen Tagen eine Schrift von Rudolf Alexander Schröder in die Hand gekommen. Und Sie wissen ja vielleicht, daß dieser Mann einen entscheidenden Wandel seines Lebens erfahren hat durch seine Begegnung mit der Auferstehungsbotschaft, gerade mit der Auferstehungsbotschaft. Und da sagt er nun: »Ich habe mich in vielen Weisheitslehren der Welt umgesehen

und bin in jeder bis auf die Tiefen ihrer Rat- und Trostlosigkeit durch-
gedrungen. Ich lasse mir von den Ostergeschichten nichts abdingen und
möchte mir eine Kirche, die sie fallen lassen würde, lieber erst gar nicht
vorstellen.« Damit ist noch einmal von einer ganz anderen Seite, auch
von einem modernen Menschen, wohl das Wesentliche gesagt worden.
Und vielleicht erinnern Sie sich auch an ein Wort von Christoph Blum-
hardt, der einmal sagte: »Ich weiß nicht, was mich in der Welt ängstigt,
wenn ich bedenke: Jesus lebt!« Das scheint mir der zentrale Inhalt der
neutestamentlichen Botschaft zu sein. Das ist das Kernstück christlicher
Theologie. Das ist auch die Aufgabe der Kirche, diese Wirklichkeit zu
bezeugen. Das gilt nicht nur vor 2000 Jahren, sondern auch für uns
bleibt der Osteraufruf bestehen: *Ontoos ägertä ho kyrios!* »Wahrhaftig,
wirklich auferstanden ist der Kyrios.« Das ist das Thema der Theologie
und das Thema der Kirche!
Klopfen und Zischen in der Gemeinde.
Tagungsleiter: Jetzt hat Herr Landesbischof Dr. Lilje das Schlußwort.

VI

Schlußwort von Landesbischof D. Dr. H. Lilje

1. Dank

Lilje: Meine hochverehrten und lieben Freunde! Meine Damen und Herren! Ich habe hier vor mir liegen ein vorsorglich vorbereitetes Manuskript, dessen Verlesung sicherlich eine halbe Stunde in Anspruch nehmen würde. Ich möchte davon abweichen, das vorzutragen, was ich hier, immerhin auch aufgrund einigermaßen sorgfältiger Erwägung vorweg bedacht habe, und mich mehr dem Kairos zuwenden, dem gegenwärtigen Augenblick, und den nicht ganz einfachen Versuch machen, etwas zu sagen, was in irgendeiner Weise den Gang dieses heutigen Tages zusammenzufassen versucht.

Eine sehr unschuldige und menschlich doch schöne Weise ist, wenn ich wenigstens zunächst mit der Erstattung des fälligen Dankes beginne. Irgend jemand muß das tun, und ich habe die Anregung aufnehmen müssen, das hier zu tun. Ich möchte also den Partizipienten an diesem Gespräche den Dank der Versammlung aussprechen und hoffe, daß ich das gleichermaßen in Ihrem Namen tun kann. Ich jedenfalls möchte beiden Disputanten danken und Herrn Professor Fuchs dafür danken, daß er sich dieser für ihn, wie der Verlauf des Tages erwiesen hat, nicht ganz einfachen Situation gestellt hat und so gestellt hat, wie er es getan hat. Dafür schuldet ihm die Versammlung Dank.

Klopfen in der Gemeinde.

Lilje: Mit Rücksicht auf den Gesundheitszustand von Herrn Landessuperintendent Hoyer sollten wir jetzt die Beifallssalven einstellen.

Lachen in der Gemeinde.

Lilje: Ich habe mich doch auch schon mit Herrn Professor Künneth verständigt. Er nimmt die Beifallssalven schon als geschehen hin, wenn ich ihn jetzt erwähne, der uns durch die mathematische Klarheit seiner Ausführungen geholfen hat, diesen Tag mit der Disputation durchzustehen. Und beiden Herren habe ich zu danken, daß sie das gemacht haben, was im deutschen akademischen Leben nicht eben häufig ist und was ja auch für das kirchliche Leben der Gegenwart leider nicht immer charakteristisch ist, das direkte Gespräch. Infolgedessen fügt sich mühelos in die Liste der zu Bedankenden der Kreis derer an, die diesen Tag gestaltet haben: Herr Landessuperintendent Hoyer, der mit Weisheit und Geduld präsidiert hat, und sicherlich auch Herrn Pastor Hartig und allen seinen Mithelfern und Mitarbeitern, die in dieser Verbindung von Mut und Kühnheit, der Phantasie und Opferwilligkeit der Gemeinde die Stätte dieser Begegnung abgegeben haben. Nicht nur der Gedanke, eine solche Disputation zu halten, sondern auch die Weise, in der hier die Kirche uns zur Verfügung gestellt ist und vieles andere zur Durchführung getan ist, soll nicht ohne ein Wort des Dankes hingenommen werden.

2. Was war das für ein Tag?

Das entbindet mich nicht von der Frage: Was war dies eigentlich für ein Tag? Wer hätte den Mut, jetzt zu formulieren, welches das Resultat dieses Tages ist? Ich habe nie Zweifel daran gelassen, seit ich von diesem Plan hörte, daß ich nicht übermäßig glücklich über diese Idee gewesen bin und auch eigentlich nicht ohne weiteres erschüttert bin in meiner gewissen distanzierten Beurteilung einer solchen Möglichkeit. Und ich sage das jetzt nicht, um zu kritisieren, sondern um uns zu helfen, daß wir das Bild dieses Tages richtig aufnehmen und richtig weitertragen. Denn was ich jetzt sagen will, soll nicht heißen: Also war der Tag wertlos. Sondern es soll nur heißen: Man nehme es in einer richtigen Perspektive auf, was sich hier vollzogen hat. Ein theologisches Gespräch in einer so großen und doch durchaus verschiedenartig zusammengesetzten Zuhörerschaft ist ein Wagnis, das nicht vollständig gelingen kann. Darüber muß man sich völlig im klaren sein. Es gibt eine Reihe von Fragen, die man zunächst im kleinen Kreis erörtern muß und die im großen Kreis sofort sehr unguten Mißverständnissen ausgesetzt sind.

Nehmen Sie die letzte Frage nach den Kategorien: Was ist denn »Kategorie«, nach der geurteilt wird? Einer fragt: »Ist die Auferstehung Jesu Christi Wirklichkeit oder nicht?« Ich habe vor zwei Jahren an einem philosophischen Kongreß in Hamburg teilgenommen, wo ich überhaupt nicht hinpaßte, und da wurde von früh bis spät über »Wirklichkeit« gesprochen, so daß einem schwindeln konnte, wie verschieden »Wirklichkeit« für den Naturwissenschaftler, den Mathematiker, den Atomphysiker, den heutigen Philosophen ist. Weischedel hat Fußball gespielt mit den modernen Theologoumena, wenn er deutlich machte und fragte:

Was für eine Begriffsnomenklatur verwendet ihr da überhaupt? Ich sage, das ist besser aufgehoben in einem kleineren Kreis, in dem man sich über diese Fragen der Terminologie einigermaßen mühelos verständigen kann. Es ist damit nicht aufgehoben, sondern im Gegenteil deutlich gemacht, daß natürlich auch die Gemeinde, die mündige Gemeinde, von der so viel die Rede ist, ein Recht darauf hat zu erfahren: Was wird eigentlich bei euch gespielt? Was bedeutet das alles? Ist noch irgendwo die Bibel Gottes Wort? Gibt es noch einen Kanon? Gibt es noch eine Kirche, in der nicht alles und jedes gilt? Das sind alles sehr berechtigte Fragen. Vielleicht wäre es — und das erwähne ich nur, damit jeder seine Erinnerungsbilder an heute sauber halten kann — noch etwas geschickter gewesen, wenn wir diese beiden Möglichkeiten im Methodischen etwas hätten auseinanderhalten können. Das war nun aber nicht, und das schadet ja auch nichts.

Ich versuche jetzt trotzdem zu sagen: Was war das also an diesem Tage? Vielleicht haben Sie mit mir beobachtet, daß im weiteren Verlauf des Gesprächs eine gewisse Nervosität wuchs. Jeder versucht sich das klar zu machen. Der eine meint: Wir sind eben mehr zur Sache gekommen. Der eine meint: Wir haben das getan, was der Zahnarzt tut, wenn er endlich die Stelle findet, wo gebohrt werden muß. Das ist nie sehr schön. Vielleicht haben wir hier gut theologisch gebohrt, an den entscheidenden Stellen. Es kann aber auch folgendes sein, und das hat wie ein Unterton mehrfach durchgeklungen: *Jede theologische Auseinandersetzung ist am Ende, wenn der eine dem anderen Bekenntnisse entgegenhält.* Wenn ich also ein Bekenntnis ausspreche, dann kann ich nicht mehr weiter diskutieren, dann kann der andere nur seine Bekenntnisaussage dagegensetzen, und dann ist das Gespräch eigentlich, das echte Gespräch, zu Ende. Das ist eine Erfahrung, die man aus vielen derartigen Versammlungen hat, hochverehrte Herren und Brüder und geliebte Schwestern, oder umgekehrt: Hochverehrte Schwestern, geliebte Herren und Brüder!

Lachen in der Gemeinde.

Das ist eine Erfahrung, die hundertfach bestätigt ist, daß dann das Gespräch, das Auf-den-anderen-Hören, nicht mehr so möglich ist.

3. *Eigenes Bekenntnis mit Luther*

Ich sage das im Augenblick zu einem gewissen Selbstschutz. Denn ich möchte nun allerdings mit einer Bekenntnisaussage meine abschließenden Bemerkungen einleiten. Und ich möchte Sie um Verständnis bitten.

Deswegen habe ich das eben gesagt. Jetzt ist das Gespräch sowieso zu Ende. Ich begehe nicht jene gewisse Taktlosigkeit, die ich eben selbst getadelt habe. Ich möchte nur gar keinen Zweifel lassen in dieser Kirche, wo ich meinen eigenen Ort in dieser ganzen Diskussion sehe, damit hinterher niemand sagen kann, ich hätte mich nicht an dieser Stelle deutlich ausgedrückt. Und Sie verstehen es wahrscheinlich ohne Erklärung, wenn ich diese Bekenntnisaussage mit den Worten eines anderen tue, indem ich den Satz wiederhole, den Sie alle kennen und den ich jetzt wirklich als meine Bekenntnisaussage hier ausspreche:

»Ich glaube, daß Jesus Christus, wahrhaftiger Gott,
vom Vater in Ewigkeit geboren, und auch wahrhaftiger Mensch,
von der Jungfrau Maria geboren, sei mein Herr,
der mich verlorenen und verdammten Menschen
erlöset hat, erworben, gewonnen
von allen Sünden, vom Tode und von der Gewalt des Teufels,
nicht mit Gold oder Silber,
sondern mit seinem heiligen, teuren Blut
und mit seinem unschuldigen Leiden und Sterben,
auf daß ich sein eigen sei
und in seinem Reich unter ihm lebe
und ihm diene
in ewiger Gerechtigkeit, Unschuld und Seligkeit,
gleichwie er ist auferstanden von den Toten,
lebet und regieret in Ewigkeit.
Das ist gewißlich wahr.

So versuche ich das zu sagen, was ich über den Standort aussagen muß, den theologischen, christlichen Standpunkt, von dem aus ich meine Schlußbemerkungen mache. Diese Worte Luthers sind, wie Sie wissen, aus dem Kleinen Katechismus, sind an einer Stelle gesagt, wo er sich um den vieldiskutierten Laien bemüht, den »mündigen Christen«, damit er es *auch* sagen könne, damit alle theologischen Quisquilien zusammengefaßt, geläutert, erhoben seien zu einer Aussage, die so ein Hausvater, wie es damals Luther meinte, tun kann. Es ist immer aufgefallen, daß Luther an dieser Stelle in einer ganz eigentümlichen und gewinnenden Demut fast auf das eigene Wort verzichtet und das Wort der Schrift gebraucht, oder in den Eingangssätzen, so wie er es zusammenfassen kann, das Chalcedonense, oder überhaupt die Stimmen der Väter, und daß er also eigentlich nur traditionelle Aussagen tut. Und nun muß ich sofort hinzufügen: Wer auch nur eine Seite bei

Luther gelesen hat, der weiß, daß er sich mit dieser Rückverweisung auf die Tradition nicht begnügt, sondern daß es für Luther Glauben nur als ganz persönlichen Glauben gibt, daß diese Aussage so gemeint ist, daß der einzelne sie für sich als Bekenntnisaussage tun kann, denn nur dann ist es überhaupt echte Aussage.

Deshalb erlaube ich mir, eine Formel von Martin Luther zu wiederholen, die zu den erstaunlichsten gehört. In einer gewaltigen Osterpredigt kommt er zum Schluß darauf zu sprechen, wie man das glauben könne, und dann sagt er zu dem unsichtbaren oder sichtbaren Gegenüber da: »Ich kann dir nicht damit dienen, daß ich an Christum glaube; so kannst du es auch nicht sehen. Es ist ein Ding, das mein eigen ist. Willst du es auch haben, so glaube es auch!« Das ist eine ungewöhnlich personale oder personalistische Aussage. Nur so gibt es ein Verhältnis zu dem, was er mit der Stimme der Väter bekannt hat, und daraus ergibt sich nun ein Gesichtspunkt, den man sich für den Verlauf des heutigen Tages klarmachen muß: Hier entsteht die spezifische Aufgabe der Theologie, nämlich Übermittler der Weisheit und des Glaubens der Kirche an die jeweilige Generation und den in ihr lebenden Menschen zu sein. Das ist die spezifische Aufgabe der Theologie.

4. Die toten Richtigkeiten treffen nicht lebendige Menschen

Weil jetzt kleine Widerstände hier geistig aufflammen, sage ich zwei Dinge dazu, nämlich erstens: Ich halte den Satz »Der Mensch ist doch im Grunde zu allen Zeiten der Welt der gleiche und der gleichen Erlösung bedürftig wie schon unsere Väter und Großväter und die davor kamen«, für so hoffnungslos richtig, daß ich ihn für einen Gemeinplatz halten möchte. Natürlich ist der Mensch zu allen Zeiten derselbe, und trotzdem spricht er nicht ganz zu allen Zeiten gleich. In der Generation, in der wir leben, muß so von diesen Dingen die Rede sein, daß der Mensch von heute es verstehen kann. Ich enthalte mich hier weiterer Ausführungen, obwohl ich sie auf dem Herzen hätte. Das ist es, was das Geschäft des Theologen, wenn es ernst genommen wird, so blutig ernst macht. Man kann das ja nicht im Vorbeigehen machen: sich mit so etwas wie der Mentalität einer Generation auseinandersetzen. Das ist nicht bloß eine mathematische Aufgabe oder nicht bloß, meine geliebten Zuhörer, nicht bloß eine Probe auf die Hurtigkeit unseres Intellekts, der sich rasch die geistige Situation vertraut macht, sondern das könnte auch, wie es im Epheserbrief steht, »ein Ringen mit den Geistern in der Luft« sein. Was ist da alles fällig, wenn wir erst anfangen, aus

der geistigen Trägheit aufzuwachen und uns klarzumachen, welche geistigen Revolutionen im Augenblick über die Erde dahingehen, und dann
dabei zu bleiben: Christus zu bekennen im Angesicht von dem allen.
Was für eine Aufgabe! Und hier ist der echte Ort der Seelsorge, daß ich
den Menschen da anrede, wo er wirklich ist, daß ich mir alle Mühe
mache, ihn da zu finden, wo er wirklich ist. Das etwa und noch viel
mehr müßte gesagt werden, wenn ich jetzt die Aufgabe der Theologie
in extenso beschreiben wollte.

Ich lasse das weg und mache nur, das kann ich mir nicht ganz ver-
sagen, auf zwei typische Fehlleistungen aufmerksam, die das verdeut-
lichen können. Das ist vielleicht ganz schön, daß wir keine Zeit haben,
denn was hier bei mir in meinem Manuskript steht, ist nicht ganz lie-
benswürdig. Und deswegen, wenn ich es kürzer sagen muß, sage ich es
dann auch etwas bescheidener: Es gibt Fehlleistungen, typische Fehlleistungen der Theologie: Das eine ist — das ist nun willkürlich von
mir erfunden, meine Terminologie — der Skeptiker, das andere ist der
Zelot. Der Skeptiker, den gibt es auch in einer echten Ausgabe. Unser
Herr ist mit Thomas und Nikodemus gütig umgegangen und hat die
Pharisäer mit einem erheblichen Katalog von Wehrufen bedacht. Da ist
die Situation exegetisch ziemlich eindeutig. Aber der Skeptiker, den ich
meine, ist ja der — und das verbindet ihn merkwürdigerweise phäno-
menologisch mit dem Zeloten —, daß dieser Skeptiker, den ich meine,
seiner Sache sicher ist. Er redet aus einer penetranten intellektuellen
Securitas heraus und weiß immer schon genau, wo die Sache schief geht
und was man ihm nicht aufreden kann, einer, mit dem nicht ganz leicht
umzugehen ist, wenn es sich um echte Fragen des Glaubens handelt.
Und der Zelot macht ihm, obwohl er an einem ganz anderen Ende vorkommt, dies nach, die Securitas. Der weiß auch einen Schlag zu genau
Bescheid über das, was Gott sich bei dem oder jenem gedacht hat. Und
diese Form von Securitas kann so leicht zu Rechthaberei und Härten
führen, die nicht mehr im Geiste Jesu Christi sind.

5. Der gemeinsame Zielpunkt: Die Auferstehung Jesu Christi

Aber lassen Sie mich einfach nur noch zu der Hauptaussage kommen:
Was ist denn nun hier bei uns in diesem Gespräch über die Auferstehung Jesu Christi von den Toten zutage gekommen? Ich glaube, daß
wir alle an einem Punkte einig sind. Wir haben doch heute davon gehört, daß nun in der Tat die Verkündigung von der Auferstehung Jesu
Christi von den Toten das Wichtigste in der Kirche ist, was sich zu-

trägt, und daß diese wichtigste Aufgabe von uns immer wieder neu begriffen werden muß. Aber es ist ja auch fast nicht nötig, das zu sagen, weil fast alle Ströme der heutigen theologischen Diskussion diesen Punkt ansteuern. Die zweite Frage ist, ob sie ihn erreichen. Aber als Orientierungspunkt ist er da, und es ist gar kein Zweifel darüber, daß man heute doch wahrscheinlich ganz allgemein zunächst sagen darf, daß ja das ganze Phänomen der christlichen Kirche, überhaupt des Neuen Testaments, ja selbst die historische Person Jesu von Nazareth für uns unverständlich wären, wenn nicht das Faktum der Auferstehung das alles aus dem Strome der Geschichte als solcher heraushöbe und ausklammerte. Und nun ist die Frage: Wie kann man von diesem zentralen Punkte christlicher Verkündigung in einer angemessenen Weise reden? Man kann es nur tun, wenn man sich eine doppelte Schwierigkeit klar macht, die nun nicht einfach zu verbinden ist. Die eine würde heißen: Die Auferstehung Jesu ist inexplikabel. Das heißt auf deutsch ganz einfach: Unerklärlich. Das ist sie wirklich. Im Neuen Testament ist ja kein Versuch gemacht, eine solche Einzelschilderung zu geben: Wie hat sich die Auferstehung Jesu vollzogen? Die Theologen unter uns wissen, daß dies der Unterschied zwischen den Apokryphen und den synoptischen Evangelien ist: Die apokryphen Evangelien sind phantasievoll und versuchen das zu schildern. Die synoptischen Evangelien schildern den Vorgang der Auferstehung Jesu nicht. Alle Versuche einer Beschreibung der Auferstehung Jesu sind also schon im Ansatz zum Scheitern verurteilt, und das ist doch schon eine sehr weittragende Aussage. Das heißt — und jetzt gebrauche ich drei Zitate — das heißt, was Luther einmal gesagt hat in der Osterpredigt, die ich schon erwähnte. Er hat das öfter erwähnt. Da wählt er zum Text Mk. 16: »Er ist nicht hie« und predigt in einer von seiner Sprachgewalt geschüttelten Weise davon: »Nein, das kann man nicht machen. Man kann nicht sagen: ›Hier‹!« Darf ich denen, die in diesem Augenblick zögern, den Trost gewähren und einen großen Reformierten daneben setzen: Kohlbrügge, den ich für einen der substantiellsten Prediger des vorigen Jahrhunderts halte, hat in einer Osterpredigt gesagt: »Das Wie und Wann« — also das »Wie« und das »Wann« der Auferstehung, d. h. das ganze quo modo — »hält er für sich«. Das ist in dem altertümlichen Deutsch von Kohlbrügge: »Behält er für sich.« Das hat Christus nicht mitgeteilt. Das ist nicht offenbart worden, das Wie, das Wo, das Wann. Der Zeitpunkt »Am Morgen«, da es noch dunkel war, »kamen die Frauen zum Grabe«, aber da war es schon passiert. Der Vorgang wird nicht geschildert, und infolgedessen ist es auch den Christen nicht erlaubt, hier falsche Folgerungen zu ziehen. Ich habe hier einen schönen

Passus, den ich nun aus Zeitgründen auch nicht mehr verlese, wo Luther
die Parallele zieht: »Deswegen kann man eigentlich auch vielleicht den
Christen nicht sehen«, sagt er. Das sagt er vor allem gegen Rom: Nicht
die Kappen, die Mönchszellen oder so etwas machen den Christen sichtbar. Nicht diese verdächtige Form von »Heiligkeit«, sondern das, was
in ständiger Abhängigkeit von dem Auferstandenen einen Christen-
menschen bestimmt, das macht ihn zum Christen.

Und mir scheint, daß das alles Paulus gemeint hat, wenn er in 2. Kor.
5, 16 die immerhin wichtige, prinzipiell wichtige Aussage tut, daß er
Christum nicht mehr *kata sarka* kenne, nicht mehr auf eine menschliche
Weise. Und das heißt doch wohl: Nicht so, wie man physische, physi-
kalische, mathematische Schilderungen geben kann. Von hier aus gesehen ist die Auferstehung Jesu Christi inexplikabel, diese Erklärung
nicht!

Irgendeiner von den Rednern hat auch auf die Kunstdarstellungen hingewiesen. Das stimmt. Ich habe mein kunstgeschichtliches Studium mit
Grünewald begonnen und weiß noch bis auf diesen Tag, wie der Mann,
der das auslegte — er hatte Grünewald wiederentdeckt —, am Isenheimer
Altar deutlich machte: Die Auferstehungsplatte des Altars ist die
Schwächste, sagte er, die künstlerisch Schwächste. Es sieht zwar wie
eine lodernde Flamme aus, aber da ist einfach die menschliche Aussag-
barkeit überschritten. Den Gekreuzigten konnte er schildern in seiner
erschütternden Realität, aber das, was dann kommt, das entzieht sich
auch dem Pinsel des genialen Künstlers. Und da ist also eine Grenze
dessen, was wir *beschreiben* können.

6. Das Verhältnis von Theologie und Gemeinde im Blick
   auf die Auferstehung

Und nun entsteht die eigentliche Schwierigkeit doch mit der Frage, die
jetzt unerläßlich ist: Ist damit nun gesagt, daß die Auferstehung nicht
wirklich ist? Ich möchte ein wenig nachtragen, um die gewisse Nervosität zu erklären und zu rechtfertigen, die sich hier ergibt: Jeder weiß,
landauf, landab, daß an dieser Stelle unsere Gemeinden, soweit sie
überhaupt zu Lebensäußerungen fähig sind, nicht unbeträchtlich nervös
sind; daß sie Fragen stellen, die sie an den Vorgang der heutigen theologischen Erörterung anknüpfen. Vielleicht hat die Gemeinde mildernde
Umstände, wenn sie das nicht immer gleich alles versteht, was einer
schreibt, der ein gelehrtes Buch geschrieben hat. Ich würde empfehlen,
dann der Gemeinde nicht hochmütig zu begegnen und zu sagen: Das

kapiert ihr eben nicht. Hier ist der Unterschied vielleicht zwischen einem Professor und einem Bischof oder Prediger: Der Professor muß zuzeiten so lehren, daß es ihm gleichgültig ist, ob seine Leute mitkommen können oder nicht. Es mag die Strenge der Forschung gebieten. Der Prediger muß alles so sagen, daß es die Leute, die er anredet, verstehen können. Und deswegen ist es nicht immer nur intellektuelle Unbeholfenheit, wenn scheinbar schiefe Fragen aus dem Schoße der Gemeinde kommen, sondern das kann heißen: Leute, sagt es so, daß wir wissen, was wir glauben oder nicht glauben können! Drückt es so aus, daß wir folgen können! Und wenn dann etwa so etwas durchsickert, vielleicht unverstanden durchsickert, daß da einer geschrieben habe, man könne die Vokabel »Gott« nicht mehr verwenden, dann ist es doch kein Wunder, daß Aufregung entsteht. Was wäre das für eine Gemeinde, die das gleichgültig hinnähme und die nicht sofort zurückfragte: Was soll denn das? Und wenn dann vielleicht weiter durchsickerte: Hier wird ein anderer Begriff eingesetzt, nämlich der Aspekt der Mitmenschlichkeit, dann wird doch gefragt: Ja, ist das nun noch das, was wir bisher geglaubt haben? Man muß doch zunächst, prima vista, sagen: Zweifellos nicht! Das ist nun ganz gewiß nicht einfach dasselbe. Und der Verdacht muß doch hingenommen werden können, daß jetzt alles reduziert werden soll auf personelle Existentialinterpretation, daß also der Horizont des Menschlichen die bestimmende Grenze ist. Und das wäre doch, wenn also z. B. die Vokabel »Gott« nicht mehr verwendbar wäre, vermutlich das Ende aller *Theo*-logie. Wenn wir mehr Zeit hätten, würde ich hier deutlich machen, daß man sich das nicht leicht machen darf. Ich könnte dann also hier richtige, handfeste Atheisten von heute zitieren, russischer oder anderer Herkunft, die deutlich machen, daß wir in einer Welt leben, in der es das gibt, in der Leute allen Ernstes die Vokabel »Gott« nicht mehr vollziehen können. Und auch das wäre ja Anlaß genug für die Theologen, hinzuhören, sich sehr sorgfältig damit auseinanderzusetzen, die Schlacht nicht damit schlagen zu wollen, daß man sagt: Leute, hört gar nicht hin! Die glauben ja nichts. Aber auf der anderen Seite ist es doch so, daß, wenn nun einfach das zu einem Prinzip wird, man verstehen muß, daß die Gemeinde fragt: Was bedeutet das alles? Geht da nicht alles im Ozean der Mitmenschlichkeit unter? Kann man dann alles das, was als spezifische christliche Lebensäußerung gilt, überhaupt noch verwenden, gebrauchen: Gebet, Hoffnung auf ein ewiges Leben, Versöhnung? Was heißt das?

Und es wäre ja schließlich auch zu sagen, daß dann der Historiker verpflichtet wäre, weiter zu fragen, warum dann dieser eigentümliche

Glaube an Jesus von Nazareth noch irgend etwas Besonderes darstellt. Und in der Konsequenz dieser Dinge wäre die Frage: Warum liest man dann noch das Neue Testament? Ist dann noch das Spezifische gewahrt? Kann man denn nicht auch andere Dinge tun? Und das ist ja dann vielleicht auch unvergleichlich. Und an dieser Stelle nun ist das Zeugnis von der Auferstehung unerläßlich. Wir haben es ja heute mehrfach zu spüren bekommen, was es bedeutet, daß schon das Neue Testament davon vielfältig spricht. Das ist nicht bloß eine beängstigende Feststellung. Das kann auch sehr schön sein. Der großartige, knappe Markusschluß, die Breite, in der Lukas das erzählend entfaltet, und dann natürlich das Johannesevangelium, das ja eigentlich voller Theologie der Auferstehung ist, obwohl es den Forschern so viel Fragen aufgibt. Ramsey, der heutige Erzbischof von Canterbury, der einmal ein ausgezeichnetes Buch über die Auferstehung geschrieben hat, der sagt in diesem Zusammenhang: »This baffling and glorious book«, dieses uns in Verlegenheit versetzende und zugleich gloriose Buch, das vierte Evangelium, Theologie der Auferstehung. Oder eben Paulus: Der ganze Bau des paulinischen Denkens bricht zusammen, wenn nicht mehr die Auferstehung Jesu Christi überhaupt der Schlüssel für alles ist, der Schlußstein im Gewölbe, der alles zusammenhält. Und wenn man von allen Einzelaussagen absieht, weiß man ja, daß für Paulus so viel Realität darin ist, daß er diesen anderen Satz aus 2. Kor. 5 hat sagen können von der *kainä ktisis*, davon, daß alles neu ist. Und diese *kainotäs*, diese Erneuerung, diese renovatio, Röm. 6 und wo es sonst noch vorkommt, ist ja das, worin sich nun die Realität der Auferstehung Jesu Christi in der Gemeinde und dann ja doch schließlich auch in besonderer Weise im Leben des einzelnen Glaubenden vollzieht. Und ich würde meinen, daß das nun in der Tat der Schlüssel zum ganzen Notensystem ist, ohne den das Neue Testament seine Bedeutung verliert. Das gilt bis in jene entlegenen Winkel, wo Haustafeln vorkommen, Frauen, Sklaven, Kinder angeredet werden und wo man deutlich machen muß: Das alles ist anders als bloß ein bißchen Moral, sondern das ist *en kyrioo*, wie ja ausdrücklich da steht, gesagt. Das ist die *kainotäs*, die Erneuerung, auch bis in den Alltag hinein. Ich möchte das nicht weiter ausführen. Das haben schon manche heute gesagt. Ich muß diese Formel immer wieder aufgreifen: Hier wäre von den Sakramenten der Christenheit und all dem zu reden, was im Neuen Testament z. T. in einer verwickelten, komplizierten Entwicklungsgeschichte anfängt. Ohne die Auferstehung fällt es alles in sich zusammen.

Und deswegen lassen Sie mich schließen mit folgender Erwägung: Für die Kirche Jesu Christi, für die Gemeinde Jesu Christi, ist deswegen die

Frage heute so dringlich, auch so erregend, weil sie ja die Kraft wiederfinden muß, von diesen Dingen zu sprechen, von der Realität der Auferstehung, von der anderen Welt, von dem, der der Herr geworden ist. Kann sie trösten, wenn es keine Instanz gibt, die den Trost gewährt? Kann sie noch von Vergebung reden, wenn niemand da ist, der vergeben kann? Können wir von einem Sinn des Lebens reden, wenn er sich in den zwischenmenschlichen Beziehungen erschöpft und nicht über den engen Horizont des diesseitigen Lebens hinausweist? Und daher hätte ich am Schluß nur noch den Wunsch: Man möchte doch auch das Verhältnis von Gemeinde und Theologie noch einmal ins Auge fassen. Und hier wende ich mich besonders an die Nichttheologen unter uns. Sie haben sicherlich den Eindruck gehabt — und ich weiß es aus Gesprächsfetzen in der Mittagspause —, daß mancher denkt: Was ist das für eine Kirche, mit so viel Verschiedenheit in der Anschauung, mit so viel Gegeneinander, wo so viel gestritten werden kann. Ich weiß, daß auch unter uns nichttheologische Glieder der Gemeinde sind, die das gefragt haben. Ich könnte als Hilfe folgende Erwägung anbieten: Jedenfalls hat jeder begriffen, daß sich die Theologen so etwas nicht leicht machen. Das wird man sagen dürfen. Und genau das ist es, worauf es ankommt. Die Gemeinde muß von den Theologen verlangen, daß sie sich den Fragen der Zeit nicht entziehen, sondern sich ihnen stellen, was ein hohes Maß von geistiger Disziplin, geistigem Mut und geistigem Fleiß erfordert. Und man kann ja schließlich doch auch nicht so verfahren, daß man die Leute, die heute mit uns leben und von diesen Fragen heimgesucht sind — und die geistig Wachen unter uns gehören doch alle zu denen, die von diesen Fragen heimgesucht sind — man kann doch die Frager nicht dafür tadeln, daß sie so etwas fragen müssen, und man darf die Theologie nicht kritisieren, wenn sie diesen Fragen standhält. Da wäre also zu einem grundsätzlichen Mißtrauen zwischen Gemeinde und Theologie kein Anlaß, wenn beide es redlich meinen. Hier würde ich brennend gerne eine ganz kleine, zarte, freundliche Philippika auch an die Fachtheologen richten. Aber das muß ich mir leider untersagen. Und die Bitten, die ich hier habe, richtig mit der Gemeinde umzugehen, sind sehr ausgeprägt und beruhen auf mancherlei Erfahrung.
Aber ich würde auf der anderen Seite eine zweite Feststellung machen: Die Kirche ist in diesem Sinne *nicht* abhängig von der Theologie. Das ist vielleicht ein gefährlicher Satz, ein Satz, der mißbraucht und mißdeutet werden kann. Aber insoweit stimmt er, daß die Kirche nicht dann theologisch auf der Höhe ist, wenn sie dem wechselnden Farbenspiel theologischer Anschauungen immer haargenau, oder soll ich sagen

»bieder« folgt. Sie darf es nicht verachten, aber sie darf sich nicht davon abhängig machen. Der entscheidende Vorgang in der Kirche ist die Verkündigung von Christus, ist die Tatsache, daß da Menschen gerufen werden von Christus, die Christus im Glauben annehmen und im Glauben bezeugen. Und das schließt gerade auch die seelsorgerische Mühe um den Menschen ein, wie er ist. Mit ihm darf man nicht leichtfertig und hochmütig umgehen. Es ist nicht erlaubt, diesem harmlosen Zeitgenossen zu eröffnen, er habe eben die moderne Theologie nicht kapiert, wenn er, wie es scheint, törichte Fragen stellt. Das ist kein christlicher Vorgang. Das darf es in der Gemeinde so nicht geben. Das muß auf eine andere Weise geklärt werden. Und deswegen meine ich: *Diese* Form der Unabhängigkeit von den wechselnden theologischen Arbeitsergebnissen ist für eine mündige Kirche unerläßlich. Der Prediger ist nicht dann theologisch gerechtfertigt, wenn er vor dem nächstgelegenen Professorenkatheder gerechtfertigt wird, sondern wenn er vor dem Herrn der Kirche bestehen kann. Und das dürfen die Prediger keinen Augenblick vergessen. Und wer das Predigtamt neu auf sich nimmt, der muß sich darum bemühen, daß das die Haltung werde, in der er predigen kann.

Und nun muß doch das Letzte ganz kurz deutlich gesagt werden: Die wichtigste Form der Verkündigung von der Auferstehung Jesu Christi ist die Gemeinde selbst, die im Glauben und aus Glauben lebende Gemeinde, in der es das gibt: Trost an den Gräbern, in der es das gibt, eine Gewißheit, die noch über das brutum factum des Todes hinausreicht. Das Beispiel (vom Autounfall) war deswegen ausgezeichnet, weil es eine nicht wegzudiskutierende Grundsätzlichkeit der menschlichen Existenz ist, daß da das brutum factum des Todes am Ende steht. Und daß wir durch so etwas aufgeschreckt werden aus der gedankenlosen Diesseitigkeit und dann in der Tat die Frage nach der Auferstehung Jesu Christi von den Toten eine echte Frage wird: Daß die Gemeinde trösten kann; daß sie loben kann, lobsingen kann; daß sie nicht immer nur ihre eigenen Kalamitäten beschreiben muß, sondern — wie es in einer wunderbaren Weise die Ostkirche verstanden hat — im Lobpreis des Auferstandenen über sich selber hinauskommen kann. Das ist die Gemeinde als viva vox evangelii, als Stätte, wo der Heilige Geist wirkt. Und damit ich nicht mißverstanden werde, möchte ich sagen: Sie steht ja unter der Einschränkung von 1. Kor. 13, wo es heißt, daß wir nur stückweise erkennen, daß wir *en ainigmati*, scheinbar in einem Rätselwort, die Sache sehen, *ek merous* begreifen. Und daß in dieser fragmentarischen Situation der Gemeinde alles da sein kann und alles da sein muß, daß in der tentatio, in dem Der-Hölle-Begegnen, was Luther doch nicht ohne Grund immer wieder so massiv schildert, sich die Macht des Auferstandenen bezeugt, gerade im Angesichte jeder menschlichen Situation, die wir bewältigen müssen und über deren Schwere und Belastung unsere Gegenwart so sehr viel weiß, was sie dann auch um so inbrünstiger nach dem Dienste der Kirche Ausschau halten läßt.

Ich habe mit Martin Luther begonnen und habe deutlich gemacht, daß ich das glaube und bekenne: Gleichwie er ist auferstanden von den Toten, lebet und regieret in Ewigkeit. Und in einer anderen theologischen Diskussion habe ich zum Schluß einmal vor einem Kreise von Amtsbrüdern, die das nicht leicht hinnehmen wollten, gesagt: Ich kann nur so mit der Möglichkeit meiner letzten Stunde rechnen, indem ich in diesem uneingeschränkten Sinne glaube an den, der das Leben ist und das Leben schenken kann. Und ich bitte Sie, mir zu erlauben, daß ich damit schließe, obwohl es vielleicht ein wenig aus dem Rahmen dessen herausfällt, was einer solchen Diskussion ziemlich ist.

VII

Abschluß mit Gebet und Lied

Tagungsleiter: Ich habe jetzt nur noch die Aufgabe, diesen Tag zu schließen. Da der Dank bereits ausgesprochen ist, brauche ich nur noch einen Wunsch auszusprechen: Ich befehle alle auf Ihrem Heimweg dem Schutze Gottes an Leib und Seele und bitte Sie, daß Sie diesen reichen Tag mit dem Gebet unseres Herrn beenden und daraufhin singen: »Christ ist erstanden!«

Gemeinde:
Vater unser, der du bist im Himmel!
Geheiligt werde dein Name!
Dein Reich komme!
Dein Wille geschehe wie im Himmel also auch auf Erden!
Unser täglich Brot gib uns heute!
Und vergib uns unsere Schuld,
wie auch wir vergeben unsern Schuldigern!
Und führe uns nicht in Versuchung!
Sondern erlöse uns von dem Übel!
Denn dein ist das Reich und die Kraft und die Herrlichkeit
in Ewigkeit. Amen.

Tagungsleiter: Es segne und behüte uns der allmächtige und barmherzige Gott, der Vater und der Sohn und der Heilige Geist! Amen.

Gemeinde singt:
Christ ist erstanden von der Marter alle;
Des solln wir alle froh sein,
Christ will unser Trost sein.
Kyrieleis.
Wär er nicht erstanden,
So wär die Welt vergangen;
Seit daß er erstanden ist,

So lobn wir den Vater Jesu Christ.
Kyrieleis.
Halleluja, Halleluja, Halleluja!
Des solln wir alle froh sein,
Christ will unser Trost sein.
Kyrieleis.   (EKG 75)

Ernst Fuchs

Die Wirklichkeit Jesu Christi

Zu einer Disputation mit Prof. W. Künneth[14]

I.

Ich beginne mit dem Rückblick auf ein innerkirchliches Ereignis, das entgegen manchem Anschein eine Begegnung war. Vor einigen Wochen, am 12. Oktober, fand in der Kirche von Sittensen, einem Dorf zwischen Hamburg und Bremen, zwischen Prof. Künneth, Erlangen, und mir eine theologische Disputation statt, in welche sich, durchaus auf meinen Wunsch, auch andere in der Kirche Anwesende, freilich nicht immer glücklich, einschalteten. Das Thema in Sittensen hieß: »Die Auferstehung Jesu Christi von den Toten.« Mein Thema heute soll im Anschluß daran heißen: »Die Wirklichkeit Jesu Christi.« Mit dem Wort »Wirklichkeit« bezeichne auch ich jenes Geschehen, das im Bekenntnis zur Auferstehung Jesu Christi von den Toten zur Sprache kommt.

Daß darüber zu reden nicht leicht ist, zeigt die keineswegs einfache, zuerst zu klärende Ausdrucksweise Professor Künneths. Er bediente sich im Blick auf Jesu Christi Auferstehung von den Toten betont der Formel: »pneumatisch-leibhafte Wirklichkeit«. Man darf gegenüber einer derartig gebündelten Aussage nicht von vornherein frostig oder ungläubig einwenden: gibt es das denn? Prof. Künneth weiß sehr wohl, daß der Glaube eine unabdingbare Folge gerade jener Wirklichkeit ist, welche sich nach Künneths Aussage mit dem auferstandenen Gekreuzigten »pneumatisch-leibhaft« verbindet. Was besagt nun die als »pneumatisch-leibhaft« bezeichnete Wirklichkeit? Man soll diese Wirklichkeit nicht etwa supranatural verstehen. Daher heißt sie »leibhaft«. Dafür steht dann für Prof. Künneth die Aussage gut, daß Jesu Grab am Ostermorgen leer war, wovon die Osterkapitel der neutestamentlichen Evangelien reden. Aber die gleiche Wirklichkeit ist auch nicht mehr erdgebunden. Daher heißt sie »pneumatisch«. Beide Angaben beschränken sich in ihrer Intention keineswegs auf Negationen. Daher wird betont von »Wirklichkeit« gesprochen und der Ton ganz auf das Neue dieser Wirklichkeit gelegt: auf das in der Verbindung »pneumatisch-leibhaft« angezeigte Wunder, oder »Urwunder«, daß Gottes Heiliger Geist le-

bendig macht, wie der Apostel Paulus betont (Röm. 8, 1; 2. Kor. 3, 6).
Und wenn der Auferstandene damals einigen Menschen erschien, wie
derselbe Paulus in 1. Kor. 15, 5—8 überliefert, so ist damit ja gesagt,
daß Gottes Geist in Jesus Christus ein *Leben*, ja, *das* Leben geoffenbart
hat, an welchem nicht nur der Gekreuzigte, sondern viele Menschen,
vielleicht alle, jedenfalls aber die Glaubenden, die Kirche Jesu Christi,
teilnehmen *und* teilhaben sollen.

Man wird zuzugeben haben, daß diese von Prof. Künneth vertretene
Position auf neutestamentliche Aussagen gestützt ist. Ich denke, ich
habe sie richtig wiedergegeben. Die Position ist als solche ja auch nicht
unbekannt. Sie entspricht einem breiten kirchlichen, übrigens auch ka-
tholischen Konsensus, für den Prof. Künneth mit mindestens relativem
Recht als Sprecher auftreten kann.

Aber warum disputieren wir dann noch? In der Tat, es gab und gibt
zweifellos am um der Verkündigung willen notwendigen *Ausdruck* des
Glaubens nicht nur amtlich interessierte Leute, die angesichts jenes
weitverbreiteten, fast allgemeinen christlichen Konsensus eine Disputation über die Wirklichkeit Jesu Christi für überflüssig halten. Das traf
denn auch für einen Teil der Veranstalter jener »Disputation« in Sittensen zu. Wenn ich trotzdem ausdrücklich zu einer Disputation eingeladen
wurde, so waren dafür sehr verschieden gelagerte Gründe maßgebend,
die ich jetzt nicht zu erörtern brauche. Aber einer dieser Gründe ist doch
recht interessant — er war als Anlaß ausschlaggebend gewesen. Man
hatte nämlich das Jahr zuvor schon einmal, freilich mehr unter sich,
über das Thema diskutiert. Dabei hatte man sich gegen die sogenannte
»existentiale« Theologie abgesetzt, die aber gar nicht akademisch vertreten war. Ein Teil der Anwesenden verlangte nun, man möge in diesem Jahr einen Vertreter dieser »existentialen« Theologie sprechen lassen. So kam ich nach Sittensen.

Ich möchte zu meiner Freude sagen, daß die Disputation wenigstens
zwischen Prof. Künneth und mir keineswegs eine Farce, sondern eine
ernsthafte Sache war. Damit ist aber auch gesagt, daß der Konsensus,
für den Prof. Künneth sprach, durchaus der Diskussion bedürftig ist.
Jene Abgrenzung gegenüber der »existentialen« Theologie war für Prof.
Künneth kein Zufall, sondern eine apologetische Notwendigkeit. Die
apologetische Notwendigkeit ergibt sich aus einer Tatsache, der sich kein
Glaubenskonsensus entziehen kann. Diese Tatsache ist die unbestreit-
bare Nötigung, daß *volle* Einigkeit des Glaubens nur dort zustande-
kommt, wo man sich über die *Begründung* des Glaubens einig ist. Nur
der kann eindeutig bekennen, was er glaubt, der *weiß*, *warum* er glaubt.
In diesem Sinne bezieht sich Prof. Künneth auf das alte Bekenntnis zur

Auferstehung Jesu Christi als einer Wirklichkeit. Die Auferstehung Jesu Christi von den Toten *begründet,* wie Prof. Künneth betont, den Glauben an Jesus Christus und gewährt so auf biblische Weise jenen Konsensus, für welchen Prof. Künneth spricht. Der Konsensus ist also keineswegs von der persönlichen Glaubenskraft des einzelnen Bekenners abhängig. Vielmehr steht es umgekehrt: die persönliche Glaubenskraft des einzelnen Bekenners hat in dem *objektiven* Bekenntnis zur Auferstehung Jesu Christi denjenigen Inhalt, der zugleich die objektive Begründung für das Bekenntnis selbst gewährt. Deshalb also spricht Prof. Künneth bei dieser für den Glauben entscheidenden Aussage über die Auferstehung Jesu Christi von den Toten von einer »Wirklichkeit«. Die Beweislast dafür liegt dann bei den Texten, nämlich bei dem »apostolischen« Zeugnis, auf das sich Prof. Künneth denn auch ausdrücklich berief. Und so war es für ihn sinnvoll, und vielleicht auch notwendig, mit einem mehr oder weniger modernen Exegeten darüber zu reden, ob die Texte, die jenem Konsensus zugrundeliegen, richtig verwendet wurden. Davon war Prof. Künneth überzeugt, aber ich nicht.

Nun kann es sich bei einer echten Disputation zumal im Raume der Kirche gewiß nicht darum handeln, mit Hilfe einer bloß negativen Kritik Grundlagen zu erschüttern, welche die Sprecher eines sicher weithin kirchlichen Konsensus als für das Bekenntnis der Kirche unabdingbar halten. Die Kirche darf nicht der Schwärmerei verfallen. Darin bin ich mit Prof. Künneth einig. Die Aufgabe des Exegeten ist schwieriger. Der Exeget muß seine wissenschaftlich erworbenen Kenntnisse fruchtbar machen. Auch er kann nicht ignorieren, was er weiß. Er kann aber die ihr Bekenntnis formulierende Kirche nicht in einen Raum abdrängen wollen, den ein exegetisches Nichtwissen, vielleicht, freigibt. Wenn und wie sich der systematische Theologe bemüht, seine theologischen Aussagen innerhalb der exegetischen Arbeit nachzuweisen, so muß auch der Exeget darum bemüht sein, seine exegetischen Kenntnisse zu systematischen Erkenntnissen zu erweitern. Eben deshalb spricht man nicht mit Unrecht sogar von »existentialer« Theologie. Damit ist eine theologische Bemühung gemeint, die exegetische Kenntnisse in der Tat zu systematischen Erkenntnissen erweitern will. Wie das geschieht, ist gerade die Frage. Klären wir diese Frage, so gewinnen wir sicher die Möglichkeit zu einer theologischen Diskussion, für welche jene Begegnung in Sittensen ein nach meinem Eindruck zwar gefährdeter und manchmal durch Unkenntnis gestörter, aber vielleicht doch verheißungsvoller Anfang war. Man muß sich dafür freilich gute Nerven und einen langen Atem erbitten. Zu diesem Zweck gehen wir jetzt jenen Schritt zurück, der in Sittensen notwendig und vielleicht möglich gewesen wäre, wenn die Disputation einen weiteren Tag zur Verfügung gehabt hätte. Ich behandle also ausdrücklich die vorhin aufgetauchte Frage, nach welcher Richtung die »existentiale« Theologie ihre exegetischen Kenntnisse zu systematischen Erkenntnissen erweitern will, um mit Theologen von der Richtung Prof. Künneths aussichtsvoll im Gespräch zu bleiben.

II.

Von der Wirklichkeit Jesu Christi war in Sittensen die Rede. Von ihr soll auch jetzt die Rede sein. Dazu will ich sofort eine exegetische These formulieren, die demjenigen verwunderlich erscheinen mag, der die exegetische Arbeit nur aus theologisch schwächlichen Kommentaren kennt. Meine These lautet: *Die Wirklichkeit Jesu Christi gehört gerade exegetisch gesehen in die Trinitätslehre.* Ich will die These kurz nachweisen.

Nun ist es zwar richtig, daß sich die traditionelle kirchliche Trinitätslehre in Formeln ausspricht. Welchen Sinn sie hat, besprechen wir nachher. Richtig ist auch, daß sich im Neuen Testament abgesehen von einem späteren Zusatz, dem sogenannten Comma Johanneum bei 1. Joh. 5, 7, keine trinitarische Formel, sondern nur triadische Formeln finden, deren bekannteste »Glaube, Hoffnung, Liebe« heißt. Jedoch, jenes Comma Johanneum wurde nicht aus Zufall in den Text eingefügt. Überblickt man die Disposition des ersten Johannesbriefs, weiß man zwischen den Hauptteilen des Briefes und den paränetisch-polemischen Partien richtig zu trennen, so ergibt sich, daß in drei großen Abschnitten vom Vater, vom Sohn und vom Geist die Rede ist, und das so, daß jeweils alle Drei miteinander bezeugt sind als der Eine Gott, der in seinem Einen Sohn die kommenden Brüder Jesu Christi durch den Einen Geist als der Anweisung seiner Liebe in sein makelloses Licht ruft, wo es keine Dunkelheit, keine Sünde, keine Furcht mehr gibt. Als Thema dieses herrlichen Briefes überschrieb ich deshalb in meinem Seminar: De Trinitate. Nicht das gleiche, wohl aber dasselbe gilt für Paulus, sobald man entdeckt, daß das johanneische Thema der *chara*, der Freude in Gott, auch im paulinischen Zentralbegriff der *charis*, der Gnade unseres Herrn Jesus Christus, steckt, wie schon die Eingänge der Briefe anzeigen, wo Paulus nicht ohne Freude Frieden und Gnade miteinander verbindet, also durchaus den Geist des Vaters *und* des Sohnes mitbedenkt. Die Trinität bestimmt sich bei Paulus durch ihren übrigens auch im 1. Johannesbrief durchaus betonten eschatologischen Charakter (vgl. z. B. 2. Kor. 13, 13 gerade mit Kap. 13!). Den eschatologischen Charakter der

Trinität kann Paulus sogar formelhaft zum Zuge bringen, indem er sich
z. B. am Ende des dritten großen Teils des Römerbriefes in Röm. 11, 36
einer damals naheliegenden doxologischen Formel bedient, die ebenfalls
trinitarisch verstanden sein will:»Denn von ihm und durch ihn und zu
ihm (ist) alles — Ihm die Ehre in alle Ewigkeit! Amen!«
Paulus unterstützt unsre Besinnung auf die Wirklichkeit Jesu Christi
außerdem auf besondere Weise, indem er die sofort drohende Isolierung
dieser Wirklichkeit betont verhindert. Gerade nach Paulus muß man ja
das Thema genau genommen formulieren: die Wirklichkeit »unseres
Herrn Jesu Christi«. Dem dient die von Paulus vermutlich übernom-
mene, aber von Paulus theologisch neu in Bewegung gebrachte Formel
»durch unseren Herrn Jesus Christus«, z. B. in Röm. 5, 1—11. Die Formel erscheint nicht zufällig am Anfang und am Schluß dieses Abschnitts,
indem sie das Heilsereignis aus dessen eschatologischem Zukunfts-
horizont als *geschehene* Versöhnung eben »durch unsern Herrn Jesus
Christus« präzisiert. Ohne die Gegenwart wäre mit der Formel eine
logisch unerträgliche, ja schwärmerische Spannung ausgesagt, die den
Herrn dem Himmel beließe, als gelte es, zwischen Himmel und Erde zu
trennen. Aber Paulus hat zu sagen: Des Herrn Wirklichkeit will uni-
versal verstanden sein! Gott selbst vermittelt sich dem Menschen durch
unsern Herrn Jesus Christus als der dem Sünder gnädige Gott, der uns
durch den Heiligen Geist alles das schenkt, was göttlich ist und deshalb
auch auf Erden wunderbar wirksam wird: Gottes Gerechtigkeit, Frieden
und Freude (Röm. 14, 17). War Gott infolge seiner Gerechtigkeit den
Sündern verborgen, so hat er sich denselben Sündern durch seine Gnade
in Jesus Christus zu jenem Frieden zugewandt, in welchem wir durch
den Glauben an Gottes Freude teilnehmen. Wer mit Paulus erkennt, daß
Gerechtigkeit, Friede und Freude Gott und den Menschen in ein neues
Sein, in die *kainä ktisis* versammeln, der denkt trinitarisch. Speziell in
diesem Zusammenhang, der ein eschatologischer Zusammenhang voll
Verheißung ist, versteht der paulinische Glaube die Wirklichkeit Jesu
Christi als die Wirklichkeit »unseres Herrn«.
In meinen Ausführungen hat sich ganz von selbst die Prädikation »verstanden« eingestellt. Wirklichkeit erreicht uns in dem aufgewiesenen
trinitarischen Denken nur als verstandene Wirklichkeit, weil wir den
verborgenen Gott in seinem Zorn nicht fassen können. Wirklichkeit
gehört gerade deshalb auf *beide* Seiten, sowohl auf die Seite des offen-
barten als auch auf die Seite des verborgenen Gottes. Diese Wirklichkeit ist eine Einheit von Tod und Leben in Gott. Von da aus gesehen
beginnen für Prof. Künneth vermutlich Schwierigkeiten. Er wundert sich
denn auch, daß ich seiner Aussage der »pneumatisch-leibhaften Wirk-

lichkeit« meine Aussage über »die Einheit von Tod und Leben« ent-
gegenstelle, die er für unpräzis bzw. für auch vortheologisch sagbar
hielt. Allerdings, wenn die These der »Einheit von Tod und Leben« die
Wirklichkeit Jesu Christi aussagen soll, dann darf sie weder nur eine
innerweltliche These, noch ambivalenter Ausdruck sein für eine etwa
auch durch Goethe postulierte Einheit der Natur in conspectu hominis.
Aber dies beides war von mir keineswegs gemeint. Gemeint war mit
meiner exegetisch gedachten Aussage der »Einheit von Tod und Leben«
vielmehr jene Einheit in Gott selbst, die in Jesu Redeweise die »Gottesherrschaft« heißt und die es macht, daß Paulus seine eigene menschliche
Schwachheit als Kraft seines Herrn verstehen kann: »wenn ich schwach
bin, so bin ich stark« (2. Kor. 12, 10). Denn *Gott selbst* will in uns
überwältigend präsent geworden sein (2. Kor. 4, 7; 1. Kor. 4, 7). Daher
hat Gott auch sein Gesetz in die Welt geworfen. Gottes Gesetz sorgt
nach dem Evangelium wie auch vor ihm dafür, daß die dem Menschen
verfügbare Wirklichkeit auf keinen Fall zur Verfügung über den verborgenen Gott werden kann. Wer Wirklichkeit sagt, der hat deshalb,
nach Paulus, allen Anlaß, zwischen Gottes Gesetz und Evangelium
streng zu *unterscheiden*. Während Gottes Gesetz zwischen Leben und
Tod trennt, macht das Evangelium »durch unseren Herrn Jesus Christus«
aus Leben und Tod jene Einheit, welche der Wende vom zornigen und
insofern verborgenen Gott zum offenbaren Gott entspricht. Das heißt:
Gott selbst will durch unseren Herrn Jesus Christus gerade im Tode,
am Ende unsrer sündigen Existenz, als unser Leben offenbar geworden
sein (Röm. 10, 4). Das ist meine These, die Prof. Künneth nicht durch-
schaut hat, weil er seinerseits ein Wirklichkeitsverständnis benützt, das
theologisch korrigiert werden muß.
Ich bezog mich schon vorhin mit dem Wort »Gottesherrschaft« auf
Jesus. Jesus auszulegen ist der Kern und die Freude aller wirklich theologischen Bemühung. Ich beschränke mich hier auf ein einziges Gleichnis Jesu, an dem mir vor einigen Jahren die verborgene Fülle von Jesu
Verkündigung ganz neu aufgegangen ist: an der Parabel von den
Arbeitern im Weinberg, Matth. 20, 1—16 bzw. 15, die ich wiederholt
ausgelegt habe. Kompositorisch gesehen ist in dieser Parabel jene Kehre
bedeutsam, welche szenisch ermöglicht, daß die wirklichen Tagelöhner,
die des Tages Last und die Hitze auf sich genommen hatten, gegen
ihren Herrn aufsässig werden, weil er am Abend auch denen, die erst
zur letzten Stunde in den Weinberg kamen, den vollen Taglohn aus-
bezahlen läßt. Der Herr betont mit Recht, daß er den Vertrag genau
eingehalten hat. Aber er fügt sofort hinzu: »Ich will (nun einmal)
diesem Letzten (das Gleiche) geben wie dir. Darf ich mit meinem Ver-

mögen, *en tois emois,* nicht machen, was *ich* will?« Und der Herr
schließt mit der Mahnung ab: »Oder ist dein Auge böse, weil *ich* gut
bin?« Also: es gibt keine Einrede gegen die Tat dieses Herrn! Was er
an Besonderem gibt, das gibt er aus seinem Vermögen. *Das* opfert er!
Niemand wird dadurch etwas entzogen! Wenn unser Blick ganz auf dem
Herrn ruht, dann verstehen wir, was genau genommen nicht erst Inhalt einer Mahnung werden dürfte: dieser Herr ist einfach gütig! Hätten sich das die Tagelöhner selber gesagt, so wären sie alle über allen
Lohn hinaus beschenkt, weil ihnen auch als Zuschauern eine Begegnung
mit dem Herrn widerfuhr.
Doch dazu kommt noch ein Weiteres, tief in Jesu Verkündigung Hin-
einführendes. Fragen wir nicht unwillkürlich, was der Herr denn mit
seinem Vermögen in anderen Fällen tun werde? Die Frage *soll* gestellt
werden! Deshalb wirkt das ganze Gleichnis bewußt wie ein Märchen,
solange man nur normale Verhältnisse bedenkt. Normalerweise wird
doch sogar darum gestritten, ob jemand wenigstens das erhält, was ihm
zusteht. Verträge nützen so oft eine Notlage aus oder werden gar nicht
eingehalten. Daher haben wir Gewerkschaften. Was wird also der
sagen, der tatsächlich um seinen normalen Lohn geprellt ist? Dem die
Welt *nicht* hält, was er sich von ihr versprechen mußte? Ein solcher
Mensch wird von Jesus aufgefordert, jene Frage zu stellen, welche wir
vorhin aufwarfen: was wohl der Herr mit seinem Vermögen in andern
Fällen tun werde? Jetzt erkennen wir: Dieses Gleichnis *verspricht,* wenn
auch unter einer fast lustigen Fassade verborgen, daß es einen Herrn
gibt, der mit seinem göttlichen Vermögen gerade denen helfen will, die
in der Welt zu kurz kommen mußten! Ich denke mir, das ist der tiefere
Inhalt dieses Gleichnisses, dem sich andere Gleichnisse Jesu durchaus
gleichsinnig anreihen lassen. Was tut also Jesus? Antwort: er verteilt
Gottes Schatz und Macht! Das ist Jesu *Wirklichkeit.* Eine verwegene
Sache, wenn man nicht berücksichtigt, wer Jesus ist. Eine wunderbare
Sache, wenn man weiß, daß Jesus zu solchem Verhalten nicht bloß er-
mächtigt, sondern geradezu gesandt ist. Die »Gottesherrschaft« wird
von ihm aus einer religiösen Idee in ein sakramentales Gut verwandelt,
über das Jesus im Namen seines Vaters und durch ihn auch unsres
Vaters unmittelbar verfügt! Dagegen gibt es nur Einen Vorbehalt: Daß
alles auf Rechnung der Zukunft geschieht, die Gott macht. Aber was
sagt der Herr? »Darf ich nicht mit meinem Vermögen tun, was ich will?«
Jesus *weiß,* was Gott in Zukunft will. An dieser Zukunft hält Jesus bis
in den Tempel hinein, bis zum Kreuz hin eindeutig fest, und er will,
daß seine Zuhörer *um seinetwillen* auch daran festhalten, also auf das
Geheimnis seiner Wirklichkeit vertrauen (Matth. 11, 6 Par.).

III.

Was ist die Wirklichkeit Jesu Christi? Darauf kann jetzt geantwortet werden. Die Wirklichkeit Jesu Christi ist etwas, was ganz und gar im Vermögen Gottes liegt und allein in Gottes Vermögen begründet ist! Haben wir das gesagt, so sollten wir einen Augenblick einhalten, bevor wir weiter denken, damit uns keine sachfremde Logik überwältige. Denn nun scheint es sich wie von selbst aufzudrängen, daß man, was Gott, und Gott allein, vermag, auf die Aussage von der Auferweckung Jesu Christi von den Toten beschränkt, so daß dem Wunder eine Beglaubigung aus Gottes Kraft zuflösse. Sagt doch auch Paulus: »Wenn aber Christus nicht auferweckt ist, ist euer Glaube vergeblich, seid ihr noch in euren Sünden! Folglich gingen auch die in Christus Entschlafenen verloren« (1. Kor. 15, 17 f.). Wir stürben noch unter Gottes Zorn! »Wenn wir nur für den Raum dieses Lebens« (nämlich für die Zeit vor dem Tode!) »voll Hoffnung wären, wären wir die Allerärmsten unter den Menschen« (1. Kor. 15, 19). Diesen Satz dürfen wir nicht streichen! Paulus fährt fort: »Nun aber ist Christus — nämlich im Gegensatz zu Adam — von den Toten auferweckt, als Erstling der Entschlafenen« usf. (1. Kor. 15, 20). Man ergänzt diesen Predigtsatz unwillkürlich mit dem Hinweis auf die große Zeugenreihe, der, einschließlich Paulus, der Auferstandene laut des ersten Abschnitts im Kapitel erschien (1. Kor. 15, 5—8); später, in den Osterkapiteln der Evangelien, kommen zu diesen Zeugen noch Frauen dazu. Da Paulus ja auch erwägt, *wie* die Toten auferweckt werden bzw. »mit was für einem Leib sie kommen« (1. Kor. 15, 35), so scheinen jetzt auch wir wie Prof. Künneth bei Sätzen über eine »pneumatisch-leibhafte Wirklichkeit« anzukommen, denen exegetisch Recht zu geben ist. Denn es ist ja nicht abzuleugnen, daß nach Christi Auferstehung sozusagen eine Pause im Heilsgeschehen eintritt, die freilich für die Toten nicht gilt. Auch Paulus selber denkt nach seinem Tode direkt mit Christus verbunden zu sein (Phil. 1, 23). Freilich, vorher muß er wie alle Glaubenden noch geduldig aushalten und so dafür sorgen, daß Christus, sei es durch Leben oder durch Sterben, d. h. durch Hinrichtung oder Freilassung bzw. Haft, an des Apostels leiblicher Existenz *auf Erden* großgeschrieben werden wird (Phil. 1, 20).

Aber nun ist es doch nicht so, als wäre über die Art dieser von Christi Auferstehung *abhängigen* Wirklichkeit schon alles gesagt. Der Apostel redet z. B. in Röm. 8, 23 deutlich genug vom Heiligen Geist als der uns zugeeigneten Erstlingsgabe. Dieser Geist wohnt in den Herzen der Glaubenden (Röm. 5, 5), bittet und seufzt für sie und hilft so »unserer Schwachheit« auf (Röm. 8, 26). Nach ihm richtet sich der Glaubende in

seiner Existenz (Röm. 8, 12—14) und begehrt hinfort, was der Geist begehrt (Gal. 5, 16 ff.), nämlich eben jene Zukunft, von welcher wir im
Blick auf Röm. 14, 17 und in Jesu eigener Blickrichtung schon gesprochen
haben. Paulus stellt deshalb in Röm. 8, 6 das Leben mit dem Frieden
Gottes zusammen. Hat der Glaube dabei Geduld zu üben (Röm. 8, 25;
2, 7), so ist damit gesagt, daß der Glaube wartet, weil er *erwartet*, daß
und wie Gott sein in Christus angefangenes Werk an uns vollendet
(Röm. 8, 25; 1. Kor. 15, 20—28; Phil. 1, 12 ff.; 3, 21). Und weil der
Glaube bis dahin als Liebe wirksam wird (Gal. 5, 5 f.), so heißt gerade
die Liebe bei Paulus die erste Frucht des Geistes (Gal. 5, 22)! Wie in
Christi Tod (2. Kor. 5, 14), so geht es in jeder christlichen Existenz um
Liebe (1. Kor. 13). Wenn Gott alles in allem sein wird (1. Kor. 15, 28),
so wird das ein nur noch durch *reine* Liebe geprägtes Leben sein, zu
dem uns der Heilige Geist jetzt schon in Jesu Namen durchhelfen will
(Röm. 8, 2—4; Gal. 6, 2). Gott vollendet sein Gnadenwerk, ja seine
Schöpfung »in Christus«, d. h. durch den Heiligen Geist, als Liebe (vgl.
2. Kor. 5, 17 im Zusammenhang!). Der Glaube hat also nichts anderes
zu tun, als den Heiligen Geist dafür Tag für Tag in Anspruch zu nehmen (Gal. 5, 5 f.; 2. Kor. 4, 6). Und das gilt deshalb, weil die *Zeit* dazu
in der Person Jesu Christi gekommen ist (Röm. 8, 2 f.). Die Wirklichkeit,
von welcher hier die Rede ist, gehört wie zu Jesu Person, so zum Heiligen Geist (Röm. 8, 9 f.). Diese *ganze* Wirklichkeit hat ihren Grund und
Inhalt im Heiligen Geist als dem Geist Christi, wie noch Lukas erkennt
(Luk. 1, 35). Was Jesus dazu effektiv beiträgt, ist durch seinen gehor-
samen Kreuzestod schon beigetragen: die Zeitansage des Evangeliums,
daß in Jesus die Zeit gekommen ist, *von Gottes Vermögen als vom
Heiligen Geist* Gebrauch zu machen (1. Kor. 4, 7 ff.; 2. Kor. 6, 2 ff.; Röm.
8, 34). Diese Zeitansage, nichts anderes gibt der Apostel als Evangelium
weiter (Röm. 1, 14—17 usf.). Nicht die Wirklichkeit, von welcher Paulus
spricht, ist problematisch, sondern alles hängt ganz allein davon ab, ob
die paulinische *Zeitansage* stimmt, ob also auch wir von jener Zeit Gebrauch machen sollen, welche Gott, nach Paulus, uns zu gut »erfüllt«
hat, indem er seinen Sohn sandte, als wir in der Sünde starben (Gal.
4, 4; Röm. 8, 2).

Es gibt für Paulus wie für das Judentum, vgl. Prediger 3, keine Zeit
ohne ganz bestimmten Inhalt. Wir dürfen von der Wirklichkeit Jesu
Christi nicht zeitlos, nicht losgelöst von Jesus selbst reden! Die Frage
nach der Wirklichkeit Jesu Christi hängt ganz davon ab, *welcher* Zeit
Jesu Person zugehört. Ist Jesus um unsrer Sünden willen gestorben, wie
1. Kor. 15, 3 sagt, so gehört Jesu Person in Wirklichkeit ganz derjeni-
gen Zeit an, welche uns als von Sünden frei durch Gottes Gerechtigkeit,

Frieden und Freude im Heiligen Geist zur Liebe erneuern will. Christus wird dann das Ende des Gesetzes *gewesen* sein (Röm. 10, 4)! Diese neue Zeit wird die Zeit des »Leibes Christi« sein, die auf Erden als Kirche beginnt und als Gottes Herrschaft Leben nach dem Tode bringen wird (1. Kor. 15, 44 ff.), weil Christus, der Erstling, die Seinen nach sich zieht (1. Kor. 15, 23: vgl. Röm. 8, 11). Von dieser Zeit macht der Glaube als von der schon gekommenen Zeit der Herrschaft Jesu Christi *in der Gegenwart* Gebrauch (Röm. 10, 9—17). Glauben besagt also, den Namen »unsres Herrn« anrufen und so von der Zeit Jesu Christi auch auf Erden bereits Gebrauch machen, wie das einige in Korinth für ihre Toten taten (1. Kor. 15, 29). Alles andere wäre verlorene Zeit (1. Kor. 15, 30 bis 34). Unsre Zeit ist in Christus zu der heilsamen Zeit geworden, die Gott in demselben Christus zu erfüllen begonnen hat (Gal. 4, 4; 2. Kor. 6, 2).

Unsre Wirklichkeits*aussage* hängt also ganz und gar von der Zeit ab, *für* welche es Zeit geworden ist. Dies zu erkennen und geltend zu machen ist die Intention der »existentialen« Theologie. Existentiale Theologie arbeitet mit dem Zeitverständnis. Man muß sich von den Texten sagen lassen, wozu es Zeit ist, wenn Jesus Christus vor aller Welt als Herr angerufen sein will, wie Paulus sagt (Röm. 10, 12 f.). Der Inhalt dieser Zeit muß also für jedermann *evident* geworden sein. An diesem Punkt komme ich noch einmal auf die Pause im Heilsgeschehen zurück, von der ich bereits sprach. Wir alle sind noch nicht gestorben und auch noch nicht verwandelte Menschen, wie das Paulus, wie Jesus, von Gottes Herrschaft radikal erwartet (1. Kor. 15, 50—52; 4, 8). Aber wie uns Taufe und Herrenmahl bezeugen, wir haben schon teil daran, so gewiß der Heilige Geist in den Herzen der Glaubenden wohnt (Röm. 5, 5; 8, 11). So kann Paulus sagen: Wenn wir im Geist leben, laßt uns auch im Geist wandeln, d. h. endlich auch: sterben! (Gal. 5, 25; Röm. 8, 17). Laßt uns alle Zeit hoffen! (Gal. 5, 5). Worauf? Auf diejenige Wirklichkeit, an welcher wir um Jesu willen bereits teilhaben, weil ihre Zeit als Jesu Christi Zeit gekommen ist (Röm. 1, 3 f.; 3, 24-26; 4, 25; 5, 12—21; 6, 1—11 usf.). Diese Zeit ist genau die Gegenwart, in welcher der Dreieinige Gott sein Werk an uns tut (Röm. 11, 36), weil wir hoffen dürfen (Gal. 5, 5). Die Existenz in dieser Zeit Gottes wird als Wirklichkeit deshalb der Existenzvollzug einer Hoffnung sein. Was ist in dieser Hoffnung *unabhängig von jedes Menschen Werk* evident? Das ist der Kern der Frage, welche zwischen Prof. Künneth und mir verhandelt wird.

Ich sage: die Einheit von Tod und Leben als Gottes gnädige Herrschaft. Paulus drückt dasselbe so aus, indem er schreibt: »Gesät wird mit Ver-

derben, auferweckt mit Unvergänglichkeit, gesät wird mit Schande, auferweckt mit Herrlichkeit; gesät wird mit Schwachheit, auferweckt mit
Kraft; gesät wird ein bloß atmender Leib, auferweckt wird ein Leib mit
Gottes Heiligem Geist« (1. Kor. 15, 42—44). Was meint der Apostel?
Ich antworte: Paulus meint *das Geheimnis Jesu!* Was ist das Geheimnis
Jesu? Ich sagte schon: daß Jesus Gottes Vermögen uns zu gut als ihm
verfügbar in Anspruch nimmt! Paulinisch formuliert besagt das: Jesus
nahm unsre Schwachheit und Schande für Gottes Herrlichkeit im Heiligen Geist in Anspruch, nicht um seinetwillen, sondern ganz und gar
um unseretwillen, aus Liebe. Diese Wirklichkeit will als für die Hoffnung evident verstanden sein. Inwiefern ist diese Wirklichkeit evident?
Antwort: sie ist evident, weil sie das *Wesen* der Liebe ist (Röm. 8, 35
bis 39). Alles, was Paulus von der Kraft des Heiligen Geistes sagt, das
gilt von der Liebe (1. Kor. 13).
Ist denn die Liebe wirklich evident? Sofern es um ihre Zeit geht, um
Zeit zur Liebe, ist die Liebe nicht ohne weiteres evident. Jesus mußte
kommen und sterben, damit die *Zeit* der Liebe als Zeit zur Liebe im
»Wort vom Kreuz« verkündigt werden konnte (1. Kor. 1, 18). Läßt
man sich auf diese Zeit ein, schämt man sich des Evangeliums als ihrer
ebenfalls armen Zeitansage nicht (Röm. 1, 16), dann kommt genau die
Frage auf uns zu, die uns die Liebe als Wirklichkeit Jesu Christi evident
macht. Wie heißt diese Frage? Die Frage der Liebe heißt nicht bloß:
willst auch du lieben? Wer wollte das schließlich nicht! Die Frage der
Liebe heißt: Willst du dich an der Schande der Liebe nicht mehr ärgern?
Willst du endlich die gottlose Meinung aufgeben, daß die Liebe zuletzt
verliert? Es ist wahr, die Liebe ist *keine* Weltmacht! Aber sie ist Gottes
eigenes Werk und Freude! Lassen wir uns das gesagt sein und in der
Anfechtung immer wieder sagen, dann offenbart sich uns der *Grund*
für die Evidenz der Liebe: Daß Gott sein ganzes Vermögen für sie ein-
setzt, diesseits *und* jenseits des Todes! Deshalb gibt es kein Ende der
Liebe. Gott will, daß auch wir, wie Jesus, Gottes Vermögen als die
herrliche Zukunft und Verheißung der Liebe in Anspruch nehmen. Die
Liebe verzichtet auf viel, vielleicht sogar auf alles Irdische. Aber die
Liebe verzichtet niemals auf sich selbst. *Das ist ihre Evidenz.* Dieser
Einblick in das *Wesen* der Liebe hat ein Dreifaches getan: Er hat Jesus
zu seinem Gehorsam befähigt, er hat Jesus nach seinem Tode den Seinen
gezeigt, er hat durch die Botschaft von unserem Herrn Jesus Christus,
dem Sohn der Liebe, Glauben geweckt und gefunden.

IV.

Mit dem Stichwort »Evidenz« wurde das systematische Thema dieser Kontroverse zwischen einem Vertreter jenes breiten kirchlichen Konsensus einerseits und der sogenannten existentialen Theologie andererseits erreicht. Auf *beiden* Seiten ist ja etwas evident. Für Prof. Künneth ist evident das »Urwunder« der »pneumatisch-leibhaften Wirklichkeit« der »Auferstehung Jesu Christi von den Toten«, aus welcher der christliche Glaube erst resultiert. Für mich ist evident jene »Einheit von Tod und Leben in der Liebe«, weil sich die Liebe als Gottes Herrschaft selbst erfüllt. Wir beide, Prof. Künneth und ich, werden uns wohl daran erinnern lassen, daß gerade auch die traditionelle christliche Trinitätstheologie ihrerseits eine Evidenz kennt. Das ist jene Evidenz, in welcher *Gott selbst* den Menschen *begegnet* ist und *für* den Menschen tut, was der Mensch seinerseits nicht tun kann, und, das ist die Evidenz in Gott selbst, daß Gott *gerne* tut und ist, was er göttlich tut und ist! Gott im Gegenüber zum konkreten Menschen zu verstehen, ihm zu danken, ihn zu bitten, ihn zu loben, sich alles Guten, aller Zukunft zu ihm zu versehen, dürfte ja wohl der rechte Grund, Inhalt und Zweck der Trinitätslehre sein, wie sie Karl Barth wieder in Erinnerung bringen wollte (vgl. E. Jüngel, Gottes Sein ist im Werden, 1965).

Nun will ich noch nicht entscheiden, welche der beiden Evidenzaussagen, diejenige von Prof. Künneth oder die meine, der Trinitätslehre angemessener ist, obwohl ich andeutete, daß eher Prof. Künneth mit dieser Lehre Schwierigkeiten bekommen dürfte als ich. Denn meine Evidenzaussage von der Einheit von Tod und Leben in der Liebe zielt ja gerade auf jene Einheit in Gott selbst, welche uns den Schrecken des verborgenen Gottes als jene Furcht austreibt, welche der Liebe fremd wird, wie die Schrift sagt (1. Joh 4, 18). Mit solcher Furcht und solchem Schrecken versinkt auch alles Historische im Aufgang der Gnade Gottes (Röm 10, 4). So ist Prof. Künneth zu fragen, ob seine Unterscheidung zwischen Jesus Christus und einer »pneumatisch-leibhaften Wirklichkeit« unsern Herrn nicht von einer Überlegung abhängig macht, die zwar logisch in sich selber evident ist, aber eben um ihrer Logik willen der Wirklichkeit, die Jesus Christus *selber schafft*, gerade nicht gerecht wird. Man kann sich das an dem verständlichen Interesse Prof. Künneths für die späten Aussagen über das leere Grab klarmachen, die ja bei Paulus fehlen und im Johannesevangelium durch den Wettlauf der beiden Jünger zum Grabe vielleicht sogar persifliert sind. Denn das leere Grab hat offensichtlich nur logische Bedeutung. Man wird postulieren, daß das Grab Jesu infolge seiner Auferstehung leer war, sobald

man betonen will, daß Jesus Christus so real wie nur möglich auferstanden sei. Aber gerade dieses Interesse zeigt wider Willen, daß man,
was die Evidenz betrifft, weit mehr von unserer körperlichen Wirklichkeit überzeugt ist als von jenem Gegenüber Gottes zu uns, das ganz der
Liebe überlassen weiß, was aus uns wird. Gott ist nicht Lückenbüßer
für einen unzweifelhaften Realitätsschwund im traditionellen Glauben!
Vielmehr ist unsere Körperlichkeit Lückenbüßer für jenen Verlust, der
uns Gott in der Sünde verlieren und dann nicht einmal mehr empfinden
läßt, daß und warum uns Gott durch sein strenges Gesetz gerade in der
körperlichen Wirklichkeit unter der Maske von Schwachheiten, Leiden
und Tod bewahrt (Gal. 3, 23). Es ist jene fatale Evidenz einer dem
Glauben gegenüber *neutralen* Realitätsüberlegung, die mich Prof. Künneth widerstehen heißt. Und doch ist zu spüren, daß auch Prof. Künneth mehr sagen will und insofern mit Recht für einen Konsensus das
Wort nimmt, der eben auch mehr sagen will, weil er allerdings von
Gott selbst reden möchte. *Dieser* Intention jenes Konsensus folge auch
ich, indem ich selber von Evidenz rede. Damit soll gerade nicht gesagt
sein, daß die Evidenz der Einheit von Tod und Leben in der Liebe —
wir leben und sterben in die Liebe hinein! — unabhängig vom Glauben
festgehalten werden könne. Nur der in Röm. 8, 24 bezeugte Glaube, daß
uns in Jesus die Zeit zu solcher Hoffnung *angesagt* ist, kann die Einheit
von Tod und Leben in der Liebe als für uns evident festhalten, wenn die
Anfechtung aufs höchste gestiegen ist, d. h. wenn die Toten schreien,
warum sie verlassen sind, wie Paulus weiß (Röm. 8, 18 ff.). Aber wahr
ist, daß diese Evidenz selber vom Glauben unabhängig ist, obwohl sie
nur in der Zeit des Glaubens den Rang bekommt, der ihr gebührt: Wort
Gottes im Namen Jesu Christi zu sein!
So streiten wir uns als Theologen um eine *ontologische* Aussage als
Mittel der Verkündigung? Allerdings. Wir streiten uns darum, was wir
für evident halten, indem wir betont von »Wirklichkeit« reden. So rede
auch ich von der Wirklichkeit Jesu Christi. Ihre Evidenz ist die Evidenz
jener unwiderstehlichen Freude Gottes an der Liebe. Freude an der Liebe
ist dem Menschen faßbar, weil er Neider kennt, ja weil sie uns traurig
macht, solange der Tod regiert. Diesem Schmerz begegnet und wider-
fährt Gott selbst in Gottes eigener und tätiger, unser Leben am Kreuz
nicht im Stich lassender, sondern mit dem Evangelium erfüllender Freude
an der Liebe. Gottes Freude an der Liebe hat damit begonnen, ihr Werk
in Jesus zu offenbaren. Jesu Wirklichkeit war und ist der Einbruch der
Zukunft der Liebe in die Gegenwart der Schmerzen der Liebe, die Einheit von Tod und Leben in Jesus Christus. Deshalb heißt Er, Er allein,
»unser Herr«.

Wir sollen als Theologen in der Tat *vortheologisch* reden können, um für alle Menschen, *vor* dem Glauben, ein Wort zu haben, das von Gott kommt! Die Theologie macht mit der Evidenz der Einheit von Tod und Leben in der Liebe ein Phänomen namhaft, das jedermann verstehen kann, sobald sich ein Mensch in die Bewegung hineinziehen läßt, die jedermann als Liebe kennt, und deren Verfälschung und Ohnmacht jedermann beklagt, sobald die Stunde der Trauer gekommen ist. Dem widersteht der Glaube mit dem evidenten Hinweis, daß Liebe niemals unerfüllt bleibt und deshalb erfüllt werden *wird*, so wahr Gott lebt und Jesus am Kreuz für uns gestorben ist! Die Theologie redet von der Evidenz der Liebe in der Tat *ontologisch*, weil die Kirche den Auftrag hat, das Wort Gottes jedermann evident zu sagen, *vortheologisch* zu sagen, und eben das heißt: Jesus Christus als unsern Herrn *wirklich* zur Geltung zu bringen!

Nun kommt aber alles darauf an, die Evidenz der Wirklichkeit Jesu Christi nicht mit zeitlich überholten Glaubensbegründungen zu verwechseln. Der Glaube fragt nicht zurück, ob er durch einen Scheck im Safe gedeckt ist. Der Glaube hat ja bereits in der Hand, was er austeilt. Gott geht uns mit seinem Vermögen voran. Wir sollen also nicht zurückblicken, sondern nachfolgen! Deshalb vermeidet es Paulus, rückwärts gewandt vom leeren Grab zu reden. Der Apostel redet vielmehr vorwärts, getrost und fröhlich, von unserm Herrn, von Gott selbst und legt seinen Finger anders als Thomas auf *unsre* Schmerzensnarben der Liebe, die zu heilen Gott schon begonnen hat. Es ist *diese* Bewegung des göttlichen Handelns, welche einzuhalten wir gerufen sind. Alle unsre exegetischen Kenntnisse sind zu der Erkenntnis Gottes zu erweitern, zur Erkenntnis des mit dem Bekenntnis zur Auferstehung Jesu Christi von den Toten in die Welt der Schmerzen eingetretenen Evangeliums, zur Erkenntnis der uns rettenden Bewegung Gottes am Kreuz, zur Erkenntnis der Herrschaft Gottes im Sohn seiner Liebe, zur Erkenntnis der Wirklichkeit Jesu Christi im Glauben an Gottes Wort. Also, was sagt Gottes Wort? Es sagt, *daß die Liebe niemand betrügt!* Das wußte Jesus, das weiß der Glaube an ihn, das ist Gottes in Jesu Person verbürgte Wahrheit, die sich ihre Wirklichkeit selber schafft, damals, heute und morgen, ubi et quando visum est Deo — wie es Gott gefällt.

Walter Künneth

Die Auferstehung Jesu Christi von den Toten

Ein Nachwort zur Disputation von Sittensen[15]

Ohne Frage hat die Tatsache, daß zwei Universitätsprofessoren bereit waren, in einer öffentlichen Disputation über ihre Theologie Rede und Antwort zu geben, erhebliches Aufsehen erregt. Das Interesse war um so größer, als das wahrhaft zentrale Thema »Die Auferstehung Jesu Christi von den Toten« zum Gegenstand der Diskussion erhoben wurde. Das Echo der breiten Öffentlichkeit auf dieses, wie man es bisweilen nannte, »kirchengeschichtliche Ereignis«, war naturgemäß nicht einheitlich, keineswegs frei von Mißverständnissen und auch nicht frei von Fehlurteilen. Alle, die von der »Disputation von Sittensen« hörten, fragten — je länger, je mehr —, was sich denn nun eigentlich zugetragen habe, was Sinn und Ertrag dieses Unternehmens gewesen sei. Aber auch die Teilnehmer selbst hätten gerne den Verlauf dieser theologischen Auseinandersetzung, wie er durch Tonband festgehalten wurde, nochmals zur Kenntnis genommen, um sich ein deutlicheres Urteil bilden zu können.

Es scheint daher nicht nur berechtigt, sondern geradezu notwendig zu sein, auch jetzt noch einen Rückblick in grundsätzlicher Besinnung zu bieten, da der eine Gesprächspartner, Professor Ernst Fuchs, sich nicht entschließen konnte, seine Zustimmung zur Veröffentlichung des unveränderten Protokolls von Sittensen zu geben. Die inzwischen im »Deutschen Pfarrerblatt« erfolgten Darlegungen, Anfragen und Antworten von Ernst Günther und Professor Fuchs (Nr. 2, Ja. 1965; Nr. 3, Febr. 1965) sind begreiflicherweise kein Ersatz und nach Diktion und Inhalt eher geeignet, das Anliegen von Sittensen zu verdunkeln, statt es zu erhellen.

Worum ging es? Die kleine niedersächsische Kirchengemeinde, im Geist der Hermannsburger Mission erzogen und geleitet von ihrem tatkräftigen und bekenntnistreuen Pastor *Hartig*, fühlte sich im Innersten beunruhigt durch das, was sie von der modernistischen Existentialtheologie zu hören bekam. Diese Besorgnis kam auf einer religionspädagogischen Tagung elementar zum Ausdruck, als über die verworrene Lage in der heutigen Theologie referiert wurde. Man fragte, ob nicht eine

öffentliche Aussprache zwischen den Repräsentanten der beiden gegen-
sätzlichen theologischen Strömungen denkbar sei, und zwar über das
jeweilige Verständnis der Auferstehung Jesu, was als entscheidend
empfunden wurde.

Es muß als überaus verdienstvoll anerkannt werden, daß der Professor
für Neutestamentliche Theologie in Marburg, der Bultmann-Schüler
Ernst Fuchs, seine Bereitschaft zu dieser Disputation erklärte und in
durchaus loyaler Weise das Gespräch aufnahm, von dem der Bericht des
Evangelischen Pressedienstes sagte, daß es zwar »hart, aber sachlich«
geführt wurde (13. Okt. 1965). So strömten denn am 12. Oktober 1964
etwa zweitausend Menschen in den kleinen Ort zwischen Hamburg und
Bremen und füllten nicht nur die geräumige Kirche, sondern auch den
größten Versammlungsraum, in den durch Fernsehen das Geschehen
übertragen wurde, bis auf den letzten Platz. Die Bedeutung dieses Tages
wurde unterstrichen durch die Anwesenheit des Landesbischofs D. Dr.
Lilje und der Hamburger Bischöfe D. Witte und D. Wölber. Dazu kamen Gruppen von Pfarrern, Lehrern, Studenten aus Westfalen, dem
Rheinland, Braunschweig, Schleswig-Holstein, Vertreter von Konferen-
zen, Akademien, Predigerseminaren, von der Hochschule Oberursel so-
wie aus Österreich und der Schweiz. Die Leitung der von zwei im Al-
tarraum stehenden Rednerpulten aus geführten Disputation lag in der
bewährten Hand des Landessuperintendenten Hoyer, Stade.

Man würde jedoch dem eigenen Charakter dieses Tages von Sittensen
nicht gerecht werden, wollte man übersehen, daß hinter den in der
Schärfe wissenschaftlicher Reflexion vorgetragenen stundenlangen Er-
örterungen eine lebendige Gemeinde stand, die in leidenschaftlicher
Anteilnahme und in Fürbitte wahrhaft existentiell bewegt wurde. Für
sie war es nicht eine Sache nüchterner akademischer Diskussion, nicht
eine theologische Fachangelegenheit, in der sich die gegenseitigen Argumente die Waage halten, sondern ihr ging es zutiefst um die Substanz ihres Glaubens, um die Wahrheit, die keinen Kompromiß duldet.
So wurden die gewaltigen Osterlieder des Posaunenchors, die in den
Pausen erklangen, zu einem spezifischen Beitrag aus einer ganz anderen
Dimension, zur Demonstration nicht eines traditionellen, sondern ak-
tuellen Bekennens.

Die Thesen über die Auferstehung Jesu

Die von mir einleitend vorgetragenen drei Thesen hatten folgenden
Wortlaut:

I

Die apostolische Botschaft bezeugt die »Auferstehung Jesu Christi von den Toten« (1. Kor. 15, 3—7) als die Erscheinung der neuen pneumatisch-leibhaften Wirklichkeit des gekreuzigten und begrabenen Jesus von Nazareth (1. Kor. 15, 8; 1. Kor. 9, 1; Gal. 1, 16; 1. Kor. 15, 43—53), in welcher eine neue Schöpfungswelt ihren Anfang genommen hat (2. Kor. 5, 17; Röm. 8, 1; Gal. 6, 15; 1. Petr. 1, 3).

II

Die Auferstehung Jesu Christi stellt das grundlegende Heilsereignis dar (1. Kor. 3, 11; 1. Petr. 2, 4. 7—8; Röm. 9, 33), so daß sowohl die christliche Verkündigung zentral durch dieses vorausgegebene Geschehen bestimmt wird (1. Kor. 15, 2. 14) als auch christlicher Glaube sich wesensmäßig als »Osterglaube« versteht (1. Kor. 15, 17; Röm. 10, 9).

III

Die Auferstehung Jesu Christi ist Ermöglichungsgrund und Realgrund der christlichen Gemeinde und damit der einzelnen christlichen Existenz als einer Gemeinschaft mit dem erhöhten lebendigen Herrn (Gal. 2, 22; Phil. 1, 21; 3, 20; Kol. 3, 1—3), die konsekutiv sich in »Glaube, Liebe, Hoffnung« (1. Kor. 13, 13) manifestiert.

In der mit den Leitsätzen zugleich gebotenen Interpretation wurde der Nachdruck auf folgende Gedanken gelegt:
Die Behauptung, daß es bei der Auferstehung Jesu um eine neue Wirklichkeit geht, grenzt sich sowohl ab gegenüber legendären oder mythologischen Vorstellungen, gegenüber bloßen Ideen, Symbolen oder Visionen, als auch gegenüber dem Mißverständnis der Wiederherstellung der irdischen historischen Leiblichkeit. Der Schwerpunkt aber liegt auf der Bezeugung der Realität des Geschehens, wie es den neutestamentlichen Zeugnisaussagen entspricht. Um dieser Wirklichkeit willen ist der Hinweis auf das »leere Grab« zwar kein Beweis, aber ein Zeichen der Faktizität der Auferstehung. In Antithese zu allen subjektivistischen Theorien wird die Identität des Auferstandenen mit dem historischen Jesus betont. Die Aussage einer »pneumatisch-leibhaften« Gestalt ist ein Ausdruck dafür, daß wir es weder mit einer Spiritualisierung noch mit einer Materialisierung zu tun haben, sondern daß an Ostern sich das Urwunder der Neuschöpfung in Parallele zur ersten Schöpfung ereignet. Deshalb kann methodisch nicht auf ontologische Kategorien verzichtet werden, um die Wirklichkeit der Auferstehung angemessen auszusprechen.

Die Botschaft von der Auferstehung Jesu trägt axiomatischen Charakter und wird damit zum Schlüsselpunkt der Sinndeutung des ganzen Neuen Testamentes. Hieraus folgt, daß christlicher Glaube wesenhaft »Osterglaube« ist. Grundlegend ist daher die Einsicht, daß die Voraussetzung des Glaubens in dem Vorhandensein der Auferstehung Jesu liegt. Erst auf diesem Grund können Glaubensentscheidungen vollzogen werden. »Ich glaube nicht an meinen Glauben, sondern an den Auferstandenen.«
Schließlich erweist sich die Wirklichkeit des Crucifixus Resurrectus als eine präsentische Größe, die den Glauben der Gemeinde und des einzelnen als eine Personalbeziehung qualifiziert. Glaube ist Kontaktgeschehen, immer ein Glaube »an« den lebendigen Christus und nicht ein Glauben »wie Jesus«. Erst das Ernstnehmen der realen Wirklichkeit des Erhöhten impliziert Gewißheit, Freudigkeit und Frieden. Die Ausstrahlungskraft des Auferstandenen erweist sich in der »Agape« als einer neuen pneumatischen Möglichkeit, »Liebe« ist daher eine Funktion des Osterglaubens, nicht sein Grund.
In seiner Beurteilung von »Sittensen« stellt das »Sonntagsblatt« (Nr. 43, 25. Okt. 64, S. 14) mit Recht heraus: »Was Künneth sichern möchte, ist das ›Extra nos‹ der reformatorischen Theologie, die Tatsache also, daß Gott sein Heil außerhalb dessen bewirkt hat, was Menschen je erglauben oder erdenken konnten. Von hier aus ergeben sich die kritischen Anfragen an die moderne ›existentiale‹ Theologie, nämlich, daß sie das Heilsgeschehen im Glauben der Menschen aufgehen läßt, so daß es außerhalb des Glaubens keinerlei realen Charakter mehr besitzt, daß die Auferstehung Jesu Christi ein Begriff, eine Chiffre, ein Ideogramm für alle möglichen Verhaltensweisen zu werden droht, wodurch die Konturen unscharf werden und die Sache zerfließt.«

Die Position von Ernst Fuchs

In Konfrontation zu diesen Grundzügen einer »Theologie der Auferstehung« trug Ernst *Fuchs* seine drei Thesen vor, in denen sich die Andersartigkeit seiner theologischen Konzeption jedem sofort aufdrängt. Die Thesen lauten:

I

Die paulinischen Aussagen in 1. Kor. 15 sind die im Neuen Testament ältesten authentischen Aussagen über das Thema: »Die Auferstehung Jesu Christi von den Toten« und von Paulus selbst durch 1. Kor. 13 ausgelegt: Wer von der Auferstehung spricht, der muß sich an die Einheit von Leben und Tod in der Liebe halten.

II
Die Einheit von Leben und Tod in der Liebe ist der Welt in der Liebe Jesu erschienen und wird vom Glauben an Jesus als Gottes Herrschaft erfahren und erwartet (Röm. 4, 25).

III
Gottes Herrschaft bedient sich des Todes, der Leiden und der Schwachheit als ihrer Mittel und des Glaubens als Arznei und Teilgabe an einem Dasein vor Gott, in Gott und aus Gott (Röm. 8).

Die Erläuterung seiner Thesen und die sich anschließende freie Diskussion der beiden Gesprächspartner ließen das theologische Anliegen von Ernst Fuchs in folgender Weise hervortreten: Zunächst macht Fuchs geltend, daß es sich um begriffliche, sprachliche Schwierigkeiten handelt, die ein gegenseitiges »Verstehen« erschweren. Das historische Fragen des Exegeten sei nun einmal anders als das »einheitliche Lehrgebäude« des Systematikers. Aber auch Fuchs läßt sehr bald erkennen, daß nicht ein theologisches Sprachproblem zur Diskussion steht, sondern das Wesen der apostolischen Botschaft und damit des Glaubens selbst, also ein anderes theologisches Denken. Für Fuchs steht in der Mitte ein anthropologisches Phänomen, das Ernstnehmen der spezifischen menschlichen Situation, die Frage nach der persönlichen Erfahrung.
Aus diesem völlig anderen Denkansatz ergeben sich folgende Konsequenzen: Die Rede von vorausgegebenen »Tatsachen« wie der »Auferstehung Jesu« ist ohne Interesse ja sogar theologisch verfehlt. Die Rückfrage nach dem Grund des Glaubens, nach seiner Herkunft, ist »logisch, philosophisch, juristisch«, ja geradezu belanglos, denn »ich kann doch meine Mutter nicht fragen, ob mein Vater wirklich mein Vater ist ... wenn ich Sohn der Familie bin, dann ist mein Vater mein Vater«. Gewiß darf die Auferstehung Jesu nicht als ein »Fabrikat des Glaubens« verstanden werden, denn »wenn das meine Meinung wäre, dann wäre Arius noch Gold wert gegen mich«. So ist zwar die Auferstehung Jesu in irgendeiner Weise, die Fuchs nicht näher kennzeichnete, selbstverständlich, aber ohne Gewicht. Von Selbstverständlichkeiten redet man nicht, man erkundigt sich nicht danach, eine bloße »Information« darüber, ob irgendwann und irgendwo etwas passiert ist, wäre Auskunft einer Zeitung, aber ist nicht Sache der Verkündigung. Theologisch von Relevanz aber ist die Erkenntnis, daß »Tatsachen«,

auch wenn sie wohl bewiesen werden könnten, »nichts helfen«. Die
Botschaft von der Auferstehung Jesu bleibt daher ohne theologischen
Akzent, denn Fuchs formulierte hier sehr charakteristisch: »Ich kann
mich nicht einer Botschaft in die Arme werfen, die immer schon fertig
ist.«

Worauf kommt es also an? Allein auf die »Erfahrung« der Auferstehung, darauf, daß das, was »Auferstehung« meint, in meine konkrete
menschliche Situation mithineingenommen wird. »Und diese Erfahrung
nähert sich uns erst . . . in der Konfrontation mit dem Tode selbst.«
Fuchs verwirft die »furchtbar billige Tour, die meint, damit, daß man
etwas sage und etwas fühlt und etwas ins Bewußtsein aufgenommen
hat, damit ist die Sache nun getan.« »Das Problem besteht doch darin,
daß auf uns in der Normallage die bloße Versicherung der Tatsächlichkeit der Auferstehung Jesu Christi überhaupt keinen Eindruck macht.«

Diese kritische Abwehrbewegung, mit der die gestellte Frage nach der
Wirklichkeit der Auferstehung Jesu beiseite geschoben wurde, findet
die positive Ergänzung in der Grundthese, mit der Fuchs in völlig un-
gewöhnlicher und nicht leicht verständlicher Weise die Auferstehung zu
interpretieren versucht: »Die Einheit von Leben und Tod in der Liebe.«
Das ist der Kernpunkt seiner Position, auf dem das Schwergewicht aller
seiner Ausführungen liegt. Mit diesem Begriff »Liebe« hat Fuchs zweierlei gewonnen: Einmal wird wiederum das anthropologisch-existentiale
Phänomen in die Mitte gerückt; sodann wird jede historisch-theologische
Reflexion auf »Heilstatsachen« irrelevant. Mit dieser Intention wird
allerdings das Thema »Auferstehung« mit einem Schlage durch das
Thema »Liebe« ersetzt. Gleichwohl bietet auch hier Fuchs keine einsich-
tigen Definitionen, sondern Aphorismen, deren theologischer Gehalt
nicht immer deutlich wurde, so daß manche Teilnehmer fragten: »Wenn
ich nur wüßte, was er unter der Einheit von Leben und Tod in der Liebe
versteht!«

Das Phänomen »Liebe« wird in folgenden Ausführungen entfaltet: »Die
Einheit von Leben und Tod in der Liebe« begegnet uns in der Liebe
Jesu. In ihr erscheint diese Einheit. Jesus stellt sich in die Situation des
Todes und bewährt darin die Liebe. »Gott einigt Leben und Tod in der
Situation des Todes, wo man es am meisten braucht, aus Liebe. So kann
man auch sagen, die Grundsituation ist tatsächlich die Situation der
Liebe.« Aber Jesus ist nicht etwa der einzigartige Quellort der Liebe,
denn diese besitzt einen universalen Charakter. Die Liebe als Hingabe
des Selbst ist überall in der Welt zu finden, aber das rechte Verstehen,
die sachgemäße Deutung gewinnen wir erst durch das Neue Testament.
Nun muß es heißen: Wo überhaupt Liebe ist, auch bei den Nichtchri-

sten, die es nicht wissen, »jegliche Liebe, egal in welcher Form«, da ist
auch Christus. »Ich meine wirklich, daß Liebe qua Phänomen, wo immer
sie Liebe ist . . . in ihrer Qualität Gottes Wirklichkeit ist.« Fuchs stellte
sich selbst die seltsame Frage, ob sich »Christus zur Liebe wie die Biene
zum Honig verhalte«, und gab darauf die Antwort: »Wo Honig ist,
sind auch Bienen, wo Liebe ist, ist auch Christus.« Das christologische
Resultat kann daher nicht lauten »Glauben an Jesus«, weil dies eine
gegenständlich-dogmatische Formulierung wäre, sondern weil es nur
um die menschliche Verhaltensweise Jesu geht, gipfelt es in dem Postulat, »zu glauben und zu lieben wie Jesus«. Dafür kann auch der Begriff
»Gottes Herrschaft« verwendet werden. So wie Jesus Gott für den sündigen Menschen in Anspruch genommen hat, so dürfen wir zu Gott
Zutrauen haben. So kommt es zur Bewährung des Glaubens, denn Gott
bindet sich an den Glauben und ist nicht ohne Glauben, und damit wird
der Glaube als »Arznei« erfahren.

Unbeantwortete Fragen

Das offenkundige Desinteressement der Position von Fuchs an der »Auferstehung Jesu Christi von den Toten« und demgemäß die Verlagerung
auf eine völlig andere Thematik bedeutete eine außerordentliche Er-
schwerung der Disputation sowohl sachlich-substantiell als auch me-
thodologisch. Es erschien daher die Aufgabe drängend, den Gesprächspartner immer wieder auf das eigentliche zentrale Thema zurückzufüh-
ren und ihn zu befragen, was er theologisch für eine Auskunft über die
nun einmal unleugbare urchristliche Osterbotschaft von seinem Standort aus zu geben vermöge.
Diese Fragestellung freilich versuchte Fuchs zu erschüttern durch die
Feststellung: »Die apostolische Botschaft ist — exegetisch gesehen —
eine ganz unsichere Größe.« Damit sollte gesagt werden, daß schon der
neutestamentliche Überlieferungsstoff einen schwankenden Boden biete
und man auf dieser Basis schwerlich zu eindeutigen theologischen Aussagen kommen könne. Demgegenüber konnte allerdings geltend gemacht werden, daß bei aller Verschiedenheit der Terminologie und Dif-
ferenziertheit der Vorstellungen ein geradezu überwältigender Konsensus aller neutestamentlichen Schriftstellen gerade in bezug auf ihre
»Bezeugung der Auferstehung Jesu« gegeben sei, der zu einer ernsthaften theologischen Besinnung zwingt. Zur Klärung der in dem Kon-
troversgespräch hin- und hergehenden Argumente wurde Fuchs auf
Behauptungen in seinen Veröffentlichungen hingewiesen, die einer Be-

streitung des Osterglaubens gleichkommen. So etwa folgender Satz: »In Wahrheit muß doch wohl behauptet werden, daß den Glauben sowohl Jesu Hinrichtung als auch das Bekenntnis zu seiner Erhöhung bzw. Auferweckung eigentlich gar nichts angeht« (»Aufsätze II«, 299). Oder die Feststellung: »Ja der Glaube erhöht seinerseits den Gekreuzigten, eben durch den Glauben, indem er sagt, was er von Gott weiß (Phil. 2, 9—11). Der Glaube ist deshalb auch an der Auferweckung des Gekreuzigten mitbeteiligt, weil er Jesus öffentlich als Herrn bekennt« (Z.Th.K. 59, 1962, 41 ff.). Fuchs wurde gefragt, ob er zu diesen Urteilen stehe und inwiefern er Paulus zitieren könne, der doch genau das Gegenteil aussagt, nämlich daß nicht der menschliche Glaube, sondern Gott den Gekreuzigten erhöht hat? Der so Befragte legte jedoch keinen Wert auf eine nähere Erläuterung und wich bewußt diesem direkten Informationswunsch aus.

Besonderer Erwähnung bedarf die in der großen Plenardiskussion am Nachmittag entstandene Lage. Aus dem Zuhörerkreis wurde Professor Fuchs mit Fragen bestürmt, die zwar eine leidenschaftliche Anteilnahme verrieten, aber nicht immer sachliche Qualität aufwiesen. Fuchs antwortete zum Teil ebenso leidenschaftlich erregt und benutzte verständlicherweise dabei die sich ihm bietende Gelegenheit, sein Anliegen ohne Berücksichtigung des gestellten Themas zu entwickeln. Humorvolle Bemerkungen erweckten Heiterkeit und Beifall. Die Diskussion drohte zu verflachen und von dem Zentrum abzugleiten. Demgemäß galt es, durch präzise und zentrale Fragen die eigentliche Thematik zurückzugewinnen. Zunächst wurde in Auseinandersetzung mit den Behauptungen von Fuchs zusammenfassend erwidert, daß zweifellos das Neue Testament über die Auferstehung Jesu in verschiedener Diktion und Begriffssprache Aussagen mache, daß es jedoch nicht übersehen werden könne, daß das ganze Neue Testament gleichsam von der »Auferstehung Jesu« erfüllt sei und in einem überwältigenden Konsensus die Sache selbst, wenn auch mit mannigfachen Namen, ausspreche. Wenn schon die Auferstehung Jesu nicht geleugnet werden solle, dann müsse man auch davon sprechen. Das Neue Testament auf jeden Fall redet fortgesetzt von dieser Wirklichkeit. Die Art und Weise aber, in der Fuchs darüber sprechen zu können meint, sei unangemessen, konturenlos und drohe die Botschaft zu vernebeln.

Um Klarheit zu gewinnen, wurden daher folgende vier Fragen an Ernst Fuchs in zugespitzter Formulierung gerichtet:
1. Wer war eigentlich Jesus von Nazareth? Ist er für uns nur ein Beispiel des Glaubens, ein Vorbild der Liebe, also ein Repräsentant einer existentiellen Verhaltensweise, welche unsere Nachahmung verdient?

2. Was besagt der Kreuzestod Jesu, wenn alles auf das gläubige Verhalten Jesu ankommt? Kann noch von Versöhnung, Stellvertretung, Sühneopfer pro nobis geredet werden, also von einem Heilsgeschehen, das auch ohne den Beitrag unseres Glaubens, »da wir noch Feinde waren«, sich ereignet hat, oder handelt es sich um unverbindliche »mythologische Vorstellungen«?

3. Was wird aus dem »Mittleramt« des Erhöhten, aus der im Kerygma bezeugten »Intercessio«, wenn jede Personalbeziehung zu dem Auferstandenen in Wegfall kommt? Gerade dieses personale Verhältnis ist für den angefochtenen Glauben von kardinaler Bedeutung, denn der Mensch darf wissen, daß er trotz Ohnmacht und Unglauben von dem Herrn gehalten wird. Gibt es also ein Gebet zu dem lebendigen Kyrios, oder darf nur ein »Beten, wie Jesus gebetet hat«, bezeugt werden?

4. Welche Konsequenzen ergeben sich von dem Denkansatz, der nicht in der Auferstehung Jesu, sondern in seinem »Verhalten« gründet, für die Eschatologie? Haben wir es auch hier nur mit Ideen der Mythologie oder mit Wirklichkeiten zu tun? Welche Qualität besitzt die Rede von der »Parusie«?

Diese Fragen wurden mit der dringenden Bitte an den Gesprächspartner gerichtet, sie eindeutig beantworten zu wollen. Ernst Fuchs ist weder in der nachfolgenden Aussprache noch in seinem Schlußwort darauf eingegangen. Diese christologisch entscheidenden Anfragen, in deren Beantwortung hätte gezeigt werden können, welche Christologie sich aus der Konzeption von Ernst Fuchs ergibt, blieben unbeantwortet. Damit war die klare Auskunft über das Verständnis der Auferstehung Jesu verweigert.

Auffällige Beobachtungen

Angesichts dieser Haltung kann man der Überlegung nicht ausweichen, weshalb eine Beantwortung sachlich grundlegender Fragen ebenso ausblieb, wie dann überhaupt auf eine theologische Klärung des gestellten Themas von der Seite des Marburger Neutestamentlers verzichtet wurde. Es wäre billig, wollte man sich auf die Schwierigkeit des Sprachproblems zurückziehen, denn die stundenlange Diskussion hätte reichlich Gelegenheit geboten, ein klares »Nein« und ein klares »Ja« zu sprechen. Wenn das nicht geschah, so kann man nur vermuten, daß Ernst Fuchs in der Atmosphäre des genius loci einer »bekennenden Gemeinde« nicht Farbe bekennen wollte oder — was keineswegs im Gegensatz dazu stände — selbst sich über den christologischen Aussagecharakter seiner

Thesen und der hieraus resultierenden Konsequenzen noch nicht völlig klar war.

Damit berühren wir ein Moment, das für das Verständnis dieser theologischen Disputation nicht unwesentlich sein dürfte. Während auf der einen Seite das Gewicht dieser Thematik höchstmögliche Klarheit forderte und der eine der beiden Theologen sich redlich darum mühte, eine scharfe Profilierung der theologischen Auskunft nach Inhalt und Form zu erreichen, achtete gerade auf der anderen Seite der Vertreter der Existentialtheologie eine derartige Klarheit nicht nur gering, ja, verdächtigte sie als eine abstrakte Systematisierung, die gleichsam in der Eiskälte toter Begrifflichkeit vollzogen würde, und betonte damit umgekehrt die Ungesichertheit, das tastende Fragen und Suchen, das theologische »Hilflossein«, das »Unterwegssein« als eine echte Verhaltensweise legitimer Theologie. Wurden dann obendrein in der Diskussion die mannigfach schillernden Aussagen von Ernst Fuchs oftmals erwärmt durch gewiß echte pietistische Emotionen und Reminiszenzen und durchbrochen von drastischen und grotesken Bemerkungen, die zum Lachen reizten, so konnte er des lebhaften Beifalls eines großen Teils der Zuhörer gewiß sein. Theologische Klarheit ist heute wenig gefragt und steht nicht hoch im Kurs. Mit Recht zitierte daher das »Sonntagsblatt« (Nr. 34, S. 14): »Fuchs gefällt mir trotzdem, zu ihm hätte ich Zutrauen, gerade weil er den Mut hat zu sagen: Es ist nicht alles so klar. Fuchs macht die Theologie menschlich.« So wirkte der Charme monologischer Redeweise auf der Ebene rein menschlicher, geistig bewegter Dialektik auf manche faszinierend, und sie vermißten es nicht einmal, daß an dem Thema vorbeigeredet und die entscheidende Frage nach der Wirklichkeit der Auferstehung Jesu ohne Beantwortung blieb.

Nicht weniger auffallend freilich war der erstaunliche Tatbestand, daß die Hunderte theologischer Anhänger von Ernst Fuchs, zu denen ohne Frage prominente und redegewandte Freunde gehörten, im Schweigen verharrten, sich weder kritisch gegen die breite Front des Erlanger Professors richteten noch ihrem Meister in mancher theologischen Bedrängnis zu Hilfe kamen. Nur eine einzige sachlich informatorische Anfrage, die prompt beantwortet werden konnte, war zu vernehmen. Es bleibt hier nur bei Vermutungen, weshalb man auf das Wort verzichtete. Gewiß war es keineswegs das Eingeständnis theologischer Unterlegenheit, aber vielleicht war es das unbewußte Gefühl, daß sich die existentialistische Position weder zu einer kämpferischen Verteidigung noch zu einem freudigen Bekenntnis eignet. Könnte es nicht sein, daß sich hier die Proklamation der theologischen Ungewißheit rächte und diese ge-

wohnte Atmosphäre intellektualistischer Erwägungen die verbindliche
Gewißheit ausklammern und daher eine Bezeugung des lebendigen
Christus lähmen mußte?

Die Entscheidungssituation

Wer das Thema von Sittensen ernst nahm, mußte sich darüber klar
sein, daß Entscheidendes auf dem Spiel stand. Die Berichterstattung
darüber wurde diesem Sachverhalt nicht immer gerecht. Symptomatisch
erscheint die ebenso eindrucksvolle wie entstellende Überschrift, die das
»Sonntagsblatt« (Nr. 43, 25. Oktober 1964) wählte: »Die Inquisition
findet nicht statt.« »Welchen Sinn hatte die Zusammenkunft? Wollte
man die moderne ›Theologie‹ vor ein Tribunal ziehen und öffentlich
verdammt wissen? ... Um das Ergebnis vorweg zu nehmen: Die Inquisition fand nicht statt.« ... Also kein »endgültiges Verdammungs-
urteil über die moderne Theologie«.
Interessant an diesen Fragestellungen und Feststellungen ist der Tatbestand, daß solche Etikettierungen den Zeitempfindungen der »Moderne« ganz und gar entgegenkommen. In der Tat, der »moderne«
Mensch liebt nicht die Klarheit, sondern das Zwielicht, nicht das Ent-
weder-Oder, sondern das Sowohl-als-auch, nicht den Wahrheitsanspruch
mit notwendiger sachlicher Intoleranz, sondern die unverbindliche To-
leranz, die alle Möglichkeiten offenläßt; er möchte zu der Botschaft von
der Auferstehung Jesu nicht »ja« sagen, aber zugleich auch vermeidet
er, ein bewußtes »Nein« zu sprechen. Den Menschen von heute erscheinen »Entscheidungen« unbequem, nicht opportun. »Die Inquisition
findet nicht statt!« Nun kann er beruhigt in seiner entscheidungsfreien
Situation à la Lessing verharren, jetzt wird ihm von einem führenden
evangelischen Blatt bescheinigt, daß das Postulat der christlichen Wahrheit, die unerbittliche Entscheidung für oder wider die neutestamentliche Osterbotschaft in die peinliche Nähe der mittelalterlichen Inquisition führt und daß es selbstverständlich ein Zeichen einer auch von der
Kirche zu respektierenden Modernität ist, die Wahrheitsfrage nicht so
übertrieben ernst zu nehmen, sondern sie loyalerweise offenzulassen.
Das Stichwort »Inquisition« in Anwendung auf die theologische Disputation über die Auferstehung Jesu stellt sofort die Weichen: Ver-
harmlosung des Gespräches, Verdächtigung des Ringens um die Wahrheit mit persönlicher Disqualifizierung der Andersdenkenden, Nivel-
lierung der Fronten, Propagierung friedlicher theologischer Koexistenz,
einer im kirchlichen Raum völlig gleichberechtigten Partnerschaft, War-
nung vor einem häretischen Zelotentum. Das alles wird zwar nicht in

dieser Direktheit ausgesprochen, aber diese Motivation ist das modernistische Klima, die eine Entscheidungssituation als nicht gegeben ansieht.

Es ist daher sehr dankenswert, daß eine Leserstimme diese retouchierende Deutung des »Sonntagsblattes« in ein neues Licht rückte: »Wer Ihren Bericht liest, muß meinen, daß in der Frage der Auferstehung Jesu Christi in der Kirche tatsächlich alles ›in Ordnung‹ ist, daß eine ›Inquisition‹, die doch nicht nur ›Ketzergericht‹, sondern ›klärende Untersuchung‹ brennender Wahrheitsfragen sein kann, Unsinn ist, und sich nur zwei verschiedene ›facons de parler‹ wegen unzureichender Terminologie nicht zu verständigen vermochten, wobei beide im Grunde dasselbe meinten. Wäre es so, wäre der ganze Aufwand von Sittensen tatsächlich nur ein unnötiges Spiel von Gedanken gewesen. Und es bliebe als Ertrag nichts als moralisierende Ermahnungen an einen ›orthodoxen Zelotismus‹ übrig, er möge mit den Skeptikern freundlich umgehen. Ist dies — die Dinge auf sich beruhen zu lassen — aber die Weise gewesen, in der ›der Auferstandene‹ ›mit dem zweifelnden Thomas gütig und nachsichtig umging‹?« (Dr. Oberdieck, Bremerhaven)

Wenn überhaupt von einem Sinn und Ertrag von Sittensen gesprochen werden darf, dann dokumentierte diese Disputation eine klare Entscheidungssituation. Von ihrem Ernst und theologischen Gewicht sollte auch der, der für die Existentialtheologie optieren zu müssen meint, nichts abbrechen. Ein »Evangelisch-lutherischer Gemeindebrief« skizziert die Lage: »Letzten Endes löste sich bei Professor Fuchs die Auferstehung in lauter zwischenmenschliche Bezüge auf ... Man vermißte bei ihm denn auch klare Antworten auf klar gestellte Fragen. Statt dessen ein großer Nebel ... zwischen den beiden Rednern lagen Welten.«

War in Sittensen ein status confessionis akut geworden, wie er an »Kirchentage« zur Zeit des Bekenntniskampfes erinnerte, so mußte man mit Spannung das Votum des Leitenden Bischofs der Vereinigten Lutherischen Kirche erwarten: »Was war dies eigentlich für ein Tag? ... Ich möchte nur gar keinen Zweifel lassen in dieser Kirche, wo ich meinen eigenen Ort in dieser Diskussion sehe, damit hinterher niemand sagen kann, ich hätte mich nicht an dieser Stelle deutlich ausgedrückt ... Ich würde meinen, daß die Auferstehung Jesu Christi nun in der Tat der Schlüssel zum ganzen Notensystem ist, ohne den das Neue Testament seine Bedeutung verliert.« Dieses eindeutige persönliche Bekenntnis des Bischofs, der sich damit auf die Seite einer »Theologie der Auferstehung« stellte, wurde von den meisten als notwendig und befreiend empfunden.

Die Frage bleibt freilich offen, ob mit diesem bischöflichen Wort die
ganze Schwere der Entscheidungssituation eine sachgemäße Ausprägung
fand. Die Worte von Pastor Hartig, die er einleitend zur Begrüßung
aussprach, standen noch mahnend im Hintergrund: »Wir möchten alle
Beteiligten bitten, von jedem Versuch einer Beschwichtigung abzusehen.
Wir haben die Bitte zu Gott, daß die entstandenen Fronten so scharf
und klar hervortreten möchten wie nur irgend möglich. Die Kirchengeschichte hat erwiesen, daß nur dann, wenn die Kirche zur absoluten
Selbstprüfung bereit ist, eine Aussicht echter Buße, Umkehr und Erneuerung besteht.« In diesem Aspekt gab es auch kritische Stimmen.
»Das Schlußwort Bischof Liljes war unbefriedigend . . . Nicht aber sagte
er etwas von der Bekenntnisstellung seiner Landeskirche gegenüber der
Bultmannschen oder Fuchsschen Theologie, was man von ihm als Landesbischof hätte erwarten müssen« (»Der Lutheraner«, 20. Nov. 1964,
H. 11, S. 174).
Die Entscheidungssituation spiegelt sich prägnant wider in einem Bericht eines Teilnehmers von Sittensen, der der jüngsten Theologen-
generation angehört: »Durch die existentiale Interpretation von Ernst
Fuchs wird ›die genaue neutestamentliche Botschaft von der Auferstehung Jesu Christi faktisch vernichtet . . . Bleibt lediglich die Frage, wie
lange es sich die lutherische Kirche noch werde leisten können, die
Stellungnahme zu einer solchen Theologie, sofern sie überhaupt erfolgt,
zu einer Ermessensfrage einzelner zu machen‹« (W. Kopfermann, Bayer.
Korrespondenzblatt Nr. 12, Dez. 1964, S. 4).
In Sittensen ging es nicht um theologische Privatmeinungen, sondern
um die wahrhaft existentielle Sache des Auftrags kirchlicher Verkündigung, um die Glaubwürdigkeit des Amtes, und zwar in Übereinstimmung mit dem apostolischen Zeugnis oder in Kontroverse zu ihm. Die
Gemeinden, nicht aber alle Theologen und Kirchenleitungen hatten begriffen, daß die neutestamentliche Osterbotschaft einen Kompromiß
nicht zu ertragen vermag. Die christliche Theologie steht und fällt als
wirkliche Theologie mit dem Konsensus in diesem apostolischen Ur-
zeugnis. Ihre Aussagegestalt ist nicht gleichgültig. Die Disputation von
Sittensen hat den Blick dafür geschärft und zur Entscheidung gerufen.

Ernst Fuchs

Statt eines Nachwortes: Dialog über die Disputation in Sittensen[16]

I.

A: Was halten Sie von dieser Disputation mit Prof. Künneth, wenn Sie heute auf Sittensen zurückblicken?

B: Ich halte viel davon und bin dankbar für diese Begegnung.

A.: Sie sagen »Begegnung«. Wer ist sich da begegnet?

B.: Ein systematischer Theologe alten Stils mit einem Exegeten neuen Stils.

A.: Ist das nicht eine doppelte Unterscheidung?

B.: Gewiß. Systematische Theologie ist etwas anderes als Exegese, und alter Stil unterscheidet sich von neuem Stil.

A.: So könnte es auch systematische Theologen neuen Stils und Exegeten alten Stils geben?

B.: O ja. Aber Sie werden mir ersparen, Namen zu nennen.

II.

A.: Sie sprachen von einer Begegnung, Herr Professor. Liegt darin nicht auch etwas Gemeinsames?

B.: Ganz gewiß. Das Gemeinsame steckt im gemeinsamen Thema und in einer gemeinsamen Frage.

A.: Wie heißt dieses gemeinsame Thema?

B.: Es ist das Thema der Disputation: »Die Auferstehung Jesu Christi von den Toten.«

A.: Und was war oder ist die gemeinsame Frage?

B.: Die Frage nach der Wirklichkeit der Auferstehung Jesu Christi von den Toten.

A.: Sie sagten, diese Frage nach der Wirklichkeit der Auferstehung Jesu Christi von den Toten sei Ihnen beiden, Prof. Künneth und Ihnen, gemeinsam. Worin liegt dann der Unterschied?

B.: Zuerst muß man wohl betonen, worin der Unterschied *nicht* liegt.

Es ist nicht so, daß Prof. Künneth diese Auferstehung Jesu Christi im
Gegensatz zu mir bejaht, als ob ich sie bezweifle.

A.: Worin liegt dann der Unterschied?

B.: In unseren Gründen! Während ich streng den Glauben als Grund
dafür angebe, warum von Jesu Christi Auferstehung von den Toten
geredet werden muß, nennt Prof. Künneth deren Wirklichkeit als Grund
für das Bekenntnis.

III.

A.: Hat Prof. Künneth nicht die bessere Logik auf seiner Seite? Er sagt
doch, daß etwas zuerst einmal wirklich sein muß, bevor man davon
reden kann?

B.: Mit dieser Frage sind Sie bei dem Kern der Sache, um die nicht erst
zu unserer Zeit gerungen wird.

A.: Wie formulieren Sie, Herr Professor, Ihre Gegenfrage?

B.: Ich frage, ob Herr Prof. Künneth mit seiner eigenen Logik tatsächlich übereinstimmt.

A.: An welche Aussage Prof. Künneths denken Sie?

B.: Ich denke daran, daß Prof. Künneth die Auferstehung Jesu Christi
von den Toten als eine »pneumatisch-leibhafte Wirklichkeit« definiert.

A.: Prof. Künneth spricht also doch von Wirklichkeit? Was soll da un-
logisch sein?

B.: Ich meine, Prof. Künneth hebe den Begriff Wirklichkeit gerade auf,
weil er sagt, diese Wirklichkeit sei »pneumatisch-leibhaft«. Pneumatisch
ist gerade *nicht* leibhaft, so wenig himmlisch = irdisch ist! Deshalb
gefällt mir besser, daß Prof. Künneth die Auferstehung Jesu Christi von
den Toten auch das Wunder aller Wunder, er sagt »Urwunder«, nennt.

A.: So könnten Sie also auch sagen?

B.: Ja, ich könnte auch »Urwunder« sagen, halte diesen Ausdruck aber
für unscharf.

A.: Wie soll aber die Frage nach der Wirklichkeit von Jesu Christi Auferstehung nach Ihrer Meinung behandelt werden?

B.: Ich antworte: exegetisch!

A.: Aber das tut doch gerade Prof. Künneth! Er beruft sich doch auf
die apostolische Botschaft.

B.: Die apostolische Botschaft ist, exegetisch genommen, ein Hilfs-
begriff, aber keine einheitliche Größe.

A.: Wieso das? Gibt es nicht ein Credo der Apostel?

B.: Es gibt keinen Text im Neuen Testament, der dieses Credo der
Apostel vorlegt.

A.: Aber der Apostel Paulus hat doch in 1. Kor. 15 ausdrücklich vom gemeinsamen Credo der Apostel gesprochen?

B.: Nein, das hat er nicht getan. Er sagt bloß: »wir«, und er nennt zwar »alle Apostel«, aber er zählt sie nicht auf. Für Paulus ist z. B. Barnabas, den er nicht nennt, ein Apostel, aber Jesu Bruder Jakobus, den Paulus nennt, ist kein Apostel, und die Zwölf, von denen Paulus spricht, waren für Paulus ebenfalls keine Apostel.

A.: Ja, aber die Evangelien nennen doch gerade die Zwölf als Apostel?

B.: Das ist die Sprache einer späteren Zeit. Gerade Paulus gehörte ja nicht zu diesen zwölf Jüngern und nennt sich selber dennoch betont einen Apostel. Bekanntlich war sein Apostolat bei der Gemeinde in Jerusalem sogar umstritten.

IV.

A.: So leugnen Sie das apostolische Credo?

B.: Keineswegs. Ich sage aber als Exeget, daß dieses Credo von vornherein der Kirche gehört.

A.: Wie steht es dann mit den Aposteln?

B.: Die Apostel sind zur Zeit des Paulus die maßgebenden Prediger des Evangeliums gewesen. *Nach* Paulus hat man sie mit den ersten Jüngern Jesu gleichgesetzt.

A.: So wäre jeder Prediger des Evangeliums ein Apostel?

B.: Inhaltlich: ja! Aber da ist ein Unterschied. Denn ein Prediger von heute ist an die Predigt des Evangeliums von damals gebunden.

A.: Worin besteht diese Bindung?

B.: Im gleichen Glauben!

A.: Inwiefern ist unser Glaube dem Glauben etwa des Paulus gleich?

B.: Insofern, als an Jesus Christus geglaubt wird. Wir haben denselben Herrn zu predigen.

A.: Was hat das mit der Wirklichkeit zu tun?

B.: Genau dies, daß Jesus Christus als unser Herr gepredigt und geglaubt wird.

A.: Daraus würde doch folgen, daß zu diesem Herrn eine Gemeinde gehört?

B.: Jawohl! Paulus nennt die Gemeinde sogar den »Leib« Christi! Ich sage, daß die Gemeinde, also die Kirche, zur Wirklichkeit der Auferstehung Jesu Christi von den Toten hinzugehört.

A.: War das in Sittensen der Fall?

B.: Ich hoffe es. Die Disputation fand ja auch in einem Gotteshaus statt!

Walter Künneth

Nachwort[17]

Man wird sich die Frage stellen müssen, inwiefern es sinnvoll ist, nach fast zehn Jahren »Die Episode von Sittensen« in Erinnerung zu bringen. Gewiß kann man dafür ein gewisses theologisch-schlichtes, vielleicht auch kirchenhistorisches Interesse erwarten. Handelte es sich doch vor dem Forum breiter Öffentlichkeit um ein erstes Gespräch zwischen Repräsentanten entgegengesetzter theologischer Grundkonzeptionen, um einen ernsthaften Dialog, welcher die Frontlinie eines neuen Kirchenkampfes anzudeuten schien.

Woher kommt es jedoch, daß jenes geistige Ringen heute noch nicht überholt und noch nicht durch die Faszination anderer neuer Probleme verdrängt ist? Der Grund dafür liegt zweifellos in der Thematik »Die Auferstehung Jesu«, die zeitlos und doch immer zugleich aktuell die Gemüter bewegt. Die seit jener Disputation verflossenen Jahre machten auf jeden Fall deutlich, daß das elementare Gewicht der Frage »Was ist es um die Auferstehung Jesu?« konstant geblieben ist und daß die Untersuchungen und Auseinandersetzungen darüber noch nicht zu Ende sind.

Interessant erscheint vor allem folgende Beobachtung: Die von mir meinem Gesprächspartner gegenüber erhobene kritische Feststellung, die Rede über die Auferstehung Jesu trüge in der modernen Existentialtheologie den Charakter einer Umdeutung, hat sich in der theologischen Weiterentwicklung bis heute in einer erstaunlichen Weise bestätigt. An einer Unzahl von Beispielen der gegenwärtigen theologischen Publikationen kann aufgezeigt werden, wie dieser Umdeutungsprozeß sich ausweitet und in immer neuen Variationen sich manifestiert: So ist es überaus aufschlußreich, wie etwa H. Zahrnt im Anschluß an das existentialtheologische Daseinsverständnis mit der »Auferstehung Jesu« fertig wird. Sie ist ein Name für die »Wirkkraft des historischen Jesu«, für »seine Liebe«, »Auferweckung« besagt nicht eine »Verwandlung«, wie sie sich »in Märchen« zuträgt, »sondern eine Bestätigung Jesu«, gerade »in seiner Armut«. Nicht Gott hat ihn »erhöht«, »aber die Kirche hat ihn in die Höhe« gebracht, »hat ihn emporgejubelt und auf Gottes Thron gesetzt«[18].

Es ist folgenschwer, worauf ja auch schon in Sittensen hingewiesen wurde, wenn die Theologie an dem neutestamentlichen Quellenbefund vorbeigeht und ihre Aussagen über die Auferstehung Jesu von philosophischen Prämissen diktieren läßt und in subjektiver Willkür umdeutet. Damit entartet der Begriff »Auferstehung« zu einer bloßen Chiffre, zu einer ideogrammatischen Deutung, und zwar unter Verlust des Wirklichkeits- und Tatsachengehaltes des Auferstehungsereignisses. Während die »Disputation von Sittensen« zur Blütezeit der Existentialtheologie stattfand, sind inzwischen, rascher als man annehmen konnte, die Sterne R. Bultmanns und seiner Schule gesunken und haben den Ideologien einer Theologie gesellschaftspolitischer Reformen, sozialrevolutionärer Engagements, einer humanitären Daseinsbewältigung und Welterneuerung Platz gemacht. Diese neue »Situationstheologie« einschließlich ihrer »Situationsethik« glaubt in ihrer Reflexion auf aktuell-gegenwärtige Heilserlebnisse, gleichviel welchen Inhalt diese auch immer haben mögen, die neutestamentliche Tradition, die das Evangelium an das Faktum der Auferstehung Jesu bindet (1. Kor. 15, 1—3), überholen zu können. Kennzeichnend für alle diese neuen Stadien der Entwicklung ist nach wie vor auch hier das Scheitern an der Zentralbotschaft der Auferstehung Jesu. Sie wird entweder direkt geleugnet, denn Jesus ist nach R. Augstein »als der auferstandene Christus die Erfindung der Gemeinde«[19] oder zum Symbol der eigenen Weltdeutung erhoben. Man fragt also nicht mehr nach der »Sache« selbst, »Was ist eigentlich geschehen?«, sondern begnügt sich irreführend mit einer Begriffshülse, die mit ideologischen Inhalten ausgefüllt wird.

Die Auswirkungen sind heute dieselben, die einst zur »Disputation in Sittensen« Anlaß gaben, nämlich Verwirrung, Vernebelung, Unsicherheit, ob man dem neutestamentlichen Zeugnis überhaupt noch Vertrauen und Glauben schenken könne, freilich mit dem Unterschied, daß ungezählte Gemeindeglieder sich heute an diesen Zustand gewöhnt haben und die Fähigkeit zur klaren »Unterscheidung der Geister« immer stärker gelähmt wird. So kann es dazu kommen, daß man es in der Gemeinde immer noch für bare Münze nimmt, wenn diese oder jene Theologen, denen der Zeitgeist hohen Beifall zollt, das Wort »Auferstehung« verwenden, ohne dabei zu merken, daß das Neue Testament unter demselben Begriff etwas ganz anderes versteht. Man läßt sich durch die Verwendung der bekannten biblischen Vokabel betören, ohne durchzuschauen, daß hier nicht die »Wirklichkeit«, nicht das »Faktum« der Auferstehung Jesu gemeint ist, sondern vielmehr eine sinnbildliche Bezeichnung für irgendeine christliche Bedeutsamkeit.

Ein Rückblick auf »Sittensen« kann heute nur mit allem Nachdruck be-

kräftigen, daß eine »Theologie der Auferstehung« im Sinne des neutestamentlichen Gesamtzeugnisses eine kardinale Bedeutung besitzt,
gerade in Begegnung mit den Ideologien des Zeitgeistes. Der anhaltende
theologisch-ideologische Auflösungsprozeß, welcher die Substanz der
apostolischen Auferstehungsverkündigung unterminiert und zu zer-
stören droht — heute noch eindrucksvoller erkennbar als einst in Sittensen —, nötigt daher zu der theologisch-kirchlichen Verpflichtung, das
Thema »Auferstehung Jesu« immer wieder erneut zu bedenken und in
die Mitte der Diskussion zu rücken.

Ein »Nachwort«, das zugleich den Zukunftsweg der Gemeinde im Auge
behält, kann nur auf einige Orientierungspunkte hinweisen, auf die
auch künftig eine Debatte über die Auferstehung Jesu nicht verzichten
kann. Die heute so mannigfach schillernden Aussagen über die Auferstehung Jesu müssen sich an dem Kriterium messen lassen, ob es sich
nach Kreuzestod und Grablegung Jesu um ein tatsächliches Eingreifen
Gottes in einem Akt eines Urwunders der Verwandlung und Neuschöpfung handelt. Die lebendige und gegenwärtige Personalität des
zum Herrn erhöhten Gekreuzigten ist Herzstück des Glaubens und des
Gebetes der christlichen Gemeinde. Die Botschaft von Jesu Kreuz als
Opfer- und Sühnetod ergibt sich allein aus der Realität der Auferwek-
kung Jesu, in der Gott selbst bestätigend handelt.

Diese neutestamentlichen Grunderkenntnisse stellen nicht, wie die Kri-
tiker spotten, leere dogmatische »Richtigkeiten« dar, sondern die fun-
damentale Heilswirklichkeit, an der sich jederzeit die Geister scheiden.
»Ist Christus nicht auferstanden«, dann ist alles umsonst, alles sinnlos.
»Nun aber ist Christus auferstanden« (1. Kor. 15, 14 f; 20), »wahrhaftig auferstanden« (Luk. 24, 34).

Anmerkungen und Literaturnachweise

1 W. Künneth, Die Auferstehung Jesu Christi von den Toten. Ein Nachvort zur Disputation von Stillensen, Lutherische Monatshefte 4/1965, S. 385 bis 390 (vgl. S. 152 ff dieser Dokumentation); E. Fuchs, Die Wirklichkeit Jesu Christi. Zu einer Disputation mit Prof. W. Künneth, in: Glaube und Erfahrung. Zum christologischen Problem im Neuen Testament, Gesammelte Aufsätze, Band 3, Tübingen 1965, S. 452–470 (vgl. S. 138 ff. dieser Dokumentation); W. Kopfermann, Ist das die Gretchenfrage? Korrespondenzblatt des Pfarrervereins der Evangelisch-Lutherischen Kirche in Bayern, 79/1964, Nr. 12, S. 3 f.; ders., Schlüssel zum Notensystem des Neuen Testamentes?, Licht und Leben 1965, Nr. 2, S. 26–28; H. Weinacht, Zur Berichterstattung über Sittensen, Kirche in der Zeit 20/1965, S. 170 ff.

2 Vgl. G. Ebeling, Das Wesen des christlichen Glaubens, 1959, Abschnitt IV. »Der Zeuge des Glaubens«, S. 48 ff., und Abschnitt V. »Der Grund des Glaubens«, S. 66 ff. Vgl. auch die Fragen von G. Ebeling an W. Künneth in G. Ebeling, Theologie und Verkündigung, 1962, S. 128 ff.: »Nachwort: Hinweis auf ein Pamphlet«.

3 Vgl. E. Fuchs, Ges. Aufsätze II, S. 256 f.: »Aber der Glaube an Jesus bezieht sich als Glaube eigentlich nur auf die eine Vorstellung, daß Gott auf Jesu Gebet für die Seinen gehört habe. Ist auch diese Vorstellung Mythologie? Sie ist es jedenfalls für den Glauben dann nicht, wenn der Glaube an Jesu Gebet festhält, weil er glaubt, daß Gott auch auf unser Gebet, auf unsere Fürbitte hören wird . . .«, ebenso S. 254 f.

4 Vgl. W. Künneth, Glauben an Jesus? Die Begegnung der Christologie mit der modernen Existenz, 1962, S. 302 f.

5 Vgl. M. Luther, WA 10, 3; 214, Z. 26: »Der Glaube ist ein allmächtig' Ding wie Gott selber ist!« WA 12, 518, 11–18: »Der Glaube soll so gestaltet sein, daß ein jeglicher die Auferstehung des Herrn Jesu Christi sich zu eigen mache; nämlich, daß es nicht genug sei allein zu glauben, daß er von den Toten auferstanden sei; denn davon folgt weder Friede noch Freude, weder Kraft noch Macht. Darum mußt du also glauben, daß er auferstanden sei um *deinetwillen*, *dir* zugute und nicht um seiner selbst willen in die Ehre gesetzt sei, sondern daß er *dir* und allen, so an ihn glauben, helfen und daß durch seine Auferstehung Sünde, Tod und Hölle überwunden und solcher Sieg dir geschenkt sei.«

6 Vgl. den dritten Teil der Grundlegung zur Metaphysik der Sitten mit der Tugendlehre der Metaphysik der Sitten.

7 Vgl. E. Fuchs, Ges. Aufsätze III, S. 1–31.

8 Vgl. dazu den in dieser Dokumentation wieder abgedruckten Aufsatz von E. Fuchs, Die Wirklichkeit Jesu Christi. Zu einer Disputation mit Prof. W. Künneth, Ges. Aufsätze III, S. 452–470, ebd. S. 456 f. (o. S. 138–151, bes. S. 141 f.).

9 Vgl. zu den folgenden Zitaten E. Fuchs, Ges. Aufsätze II, S. 241, 165, 299, ebenso aus Ges. Aufsätze I, S. 298 ff. und 292 f.

10 An dieser Stelle ist es wichtig, den *ganzen* Zusammenhang zu beachten, aus dem das Zitat herausgenommen wurde: vgl. E. Fuchs, Ges. Aufsätze II, S. 299. Dort heißt es innerhalb einer Auseinandersetzung mit R. Bultmann um das Verhältnis von Theologie und Psychologie:

»Muß man demgegenüber nicht auch die andere Frage stellen, ob Jesu Hinrichtung die Glaubensaussage gerade bei Paulus in eine ihrerseits nur vorläufig brauchbare Antithese zwang, die freilich zu einer Vertiefung des Verständnisses der schon vor Paulus im Zusammenhang mit der Taufsprache behaupteten ›Rechtfertigung‹ des Glaubens führte. In Wahrheit muß doch wohl behauptet werden, daß den Glauben sowohl Jesu Hinrichtung als auch das Bekenntnis zu seiner Erhöhung bzw. Auferweckung eigentlich gar nichts angeht, *es sei denn*, daß ihn diese konkreten Ereignisse (Jesu Kreuz und das Bekenntnis zu seiner Erhöhung bzw. Auferweckung) zur Besinnung auf das ihm als Glauben *Eigene* gezwungen haben. Das ist die Basis, auf die die Psychologie in der Diskussion um den Glauben überwunden werden kann und muß.

Es gehört zu den Folgen des Glaubens, daß er den Glaubenden freudig macht. Es gehört aber auch zu seinen Folgen, daß er immer wieder enttäuscht werden *muß*, weil sonst die Jenseitigkeit seines Gegenstandes, Gottes Kommen, Gottes Macht und Eingreifen, innerweltlich verfügbar und der Glaube damit selbst zerstört würde.«

11 Vgl. E. Fuchs, Ges. Aufsätze II, S. 302: »Und der christliche Glaube glaubt an Jesus, weil uns die Macht der Liebe *immer wieder* infolge unsrer eigenen Schwachheit fraglich wird (1. Joh. 3, 20). Die Frage, wieso es komme, daß der Glaube nicht einfach vom eigenen ›Dennoch‹ zur Erfahrung lebt, sondern an dem historischen Jesus als dem Ereignis der Liebe festhält, wird nur durch die Kraft des Wortes selber entschieden. *Daß* an Jesus geglaubt wird, *daß* er also das *Wort* der Liebe bleibt, liegt nicht an uns, sondern lediglich daran, daß sich die Liebe treu bleibt, um uns in der Spannung zwischen Vergangenheit und Zukunft den Weg zu gewähren, den Gott mit uns geht.«

12 Vgl. noch einmal Anmerkung 10!

13 Zu der »Zwischenrede«, die im Tagungsprogramm nicht eingeplant war, kam es offenbar, weil Herr Prof. D. Dr. W. Künneth in der Kaffeepause von einigen Teilnehmern gebeten worden war, noch einmal mit eigenen Ausführungen und Fragen in die Plenumsdiskussion einzugreifen.

14 Vortrag vor den Evangelischen Studentengemeinden und den Theologischen Fachschaften in Kiel und Hamburg im Dezember 1964. Zuerst veröffentlicht in: Ernst Fuchs, Glaube und Erfahrung. Zum christologischen Problem im Neuen Testament, Gesammelte Aufsätze, Band 3, Tübingen 1965, S. 452–470.

15 Zuerst veröffentlicht in Lutherische Monatshefte 4/1965, S. 385–390.

16 Unveröffentlicht.

17 Unveröffentlicht.

18 H. Zahrnt, Wozu ist das Christentum gut?, 1972, S. 112 f.; 109 f.; 36. Ähnlich auch J. Moltmann, Der gekreuzigte Gott, 1972, S. 157; 189; 234.

19 R. Augstein, Jesus Menschensohn, 1972, S. 12; 221 ff.